NIKKEI BUNKO
日経文庫

はじめての経済学［上］

伊藤元重

NB

日本経済新聞出版

まえがき

「はじめての経済学」というタイトルからもわかるように、本書はごく初歩的な経済学の入門書です。新書本というコンパクトな分量ですので、できるだけ多くの人に手軽に読んでもらえるようにしてあります。

今や経済問題は、すべての人にとって無関心ではいられないものとなっています。雇用から金融まで、景気から地球環境問題まで、多くの経済問題が私たちの生活に大きな影響を及ぼしているからです。経済問題は一見難しいように見えるかもしれませんが、少し興味を持って調べてみると、なかなか面白いものです。

本書は、できるだけ具体的な経済問題を事例に使いながら、経済学の基本的な考え方を学んでもらえるように構成されています。「経済学」の入門書ですので、経済現象に触れるだけではなく、それを理解するための経済学の考え方を学んでもらうことに力点を置いています。

新書本という限られたスペースではありますが、本書ではできるだけ幅広く経済学について取り上げるようにしました。マクロ経済学やミクロ経済学の基本的な考え方から、ゲーム理論のような最近のトピックスまで取り上げました。また、普通の経済学の入門書に比べて、現実の日本経済の事例を多く取り上げてあります。事例を通じて、経済学の考え方を学んでもらいたいというのが本書の大きな狙いであるからです。

上巻では、マクロ経済学やミクロ経済学の基本的な考え方について説明します。下巻では、財政・金融・企業・雇用・国際経済など、幅広い応用分野を取り上げます。もとより入門書ですので本格的な議論を展開することはできませんが、経済学の持つ広がりを感じてもらい、より多くの問題に関心を持ってもらえればと願っています。

データの収集・加工をはじめ本の完成に至るまでの多くの煩雑な仕事を、私の研究室の尾島栄恵さんと山本和代さんが見事にこなしてくれました。また、日本経済新聞社出版局編集部の堀口祐介氏には、この本のアイデア段階から編集に至るまでいろいろな形でお世話になりました。この場を借りてお礼申し上げたいと思います。

二〇〇四年三月

伊藤　元重

はじめての経済学（上）――［目次］

[V] ゲーム理論の考え方―149

目次

[Coffee Break]

[用語解説]

［I］

経済学とは何か

1　経済学は身近な学問

この本の目的は、一般の読者がごく自然に経済学に接することができるよう、導入的な解説をすることにあります。あまり肩肘を張らずに読んでいただけるように、できるだけ具体的な事例を混じえながら、経済学の基本的な考え方、経済問題の知識を身につけてもらうことを狙いとしています。

経済学というと、何か特別な学問のように考える人もいるかもしれません。確かに世界のどこの大学でも教えていて、多くの研究者が研究をしている、国際標準が確立した学問分野です。ただ、この本では学問的なことにはあまりこだわらず、一般の読者に経済問題を身近に感じてもらえるような取り上げ方をしたいと思います。そうはいっても、経済問題を見る上で、経済学的な考え方、経済分析の進め方について理解を得ることは有益なことですので、この本の中でも経済学的な見方について可能な限り突っ込んだ説明もしたいと考えています。

今や経済問題はますます重要になってきています。国民一人ひとりの日常の経済活動から、企業や政府の専門的な問題に至るまで、経済学的な思考が求められているのです。そこでまず冒頭に具体的な経済問題を二つほど取り上げ、経済的な現象が私たちの生活にどのようにかかわってきているのかということについて述べてみたいと思います。

経済学にはマクロとミクロという二つの視点があります。マクロは一国全体の経済を捉える枠組み、ミクロは個人や企業の経済的な意思決定・選択を解明する枠組みです。

以下で取り上げるインフレ・デフレ、円高の影響を理解するにはこの二つの視点が不可欠です。

COFFEE BREAK

マクロ経済学とミクロ経済学

多くの大学の経済学のカリキュラムの最初のところに、マクロ経済学とミクロ経済学があります（東大経済学部のカリキュラムについては42ページ参照）。本文中でも述べたように、マクロ経済学は一国経済の全体像を捉えるものであり、物価・経済成長・景気変動など経済変動の分析を行います。ミクロ経済学では個別の産業や市場の分析、あるいはその背後にある価格の決定などについて分析しています。

ただ、経済学のすべての分析がマクロ経済学とミクロ経済学にきれいに分類できるわけではありません。多くの経済問題には両方の分野が微妙にかかわってきます。また、学問的にも、マクロ経済学的な分析の中にミクロ経済学的な発想方法が積極的に導入されています。ただ、初めて経済学を学ぼうという読者の皆さんにとっては、本書の中で扱われている代表的なマクロ経済学の問題（Ⅱ章）とミクロ経済学の問題（Ⅳ章・Ⅴ章）に触れることで、同じ経済学でもかなり違った角度から経済問題を見ていることがわかると思います。

(1) インフレは姿なき盗賊

インフレ（インフレーション）とは物価が上がっていくことであり、デフレ（デフレーション）とは物価が下がっていくことです。インフレやデフレはいつの時代にも多くの国で問題になりますが、日本でもこのことが私たちの生活に大きな影響を及ぼした時期が何度かありました。

インフレが最も問題になったのは、最近では一九七三年です。この年についてはⅢ章で詳しく述べますが、いくつかの大きな出来事がありました。第一は石油ショックで、中東の紛争をきっかけに世界の石油価格が急騰し、それが日本にも大きな影響を及ぼしました。第二は、為替制度（自国の通貨と外国の通貨を交換する際のルール）が固定相場制（交換の比率が固定）から変動相場制（経済実態を反映して比率が変動）に移行したこと、日本の通貨である円の為替レートは日々の変動にさらされることになりました。

この年、石油ショックなどの影響もあり、日本の物価は激しい勢いで上昇しました。このとき私は大学生で、喫茶店に行くことが多く、コーヒーが一晩で一〇〇円から二〇〇円ぐらいに上がったことをよく憶えています。

物価の上がり方を見るための経済指標に「消費者物価指数」（図3－3参照）というものがあります。これは消費者が日常購入する商品を中心に、価格の上がり方を示した経済指標です。

消費者物価指数を見ると、七三年には、一年間に物価が二〇％近く上がっています。二〇％の物価上昇というのはどういうことか、もう少し考えてみましょう。

多くの老人は、現役時代に働いたおカネを銀行預金や郵便貯金として貯蓄して、老後に備えています。もし夜中に老人の家に泥棒が忍び込んで、この蓄えを盗んでいったとしたら、世の中の人は泥棒をひどいやつだと批判するでしょう。物価が二〇％上昇したということは、日本中の多くの老人の家に夜中に忍び込んだインフレという「泥棒」が、老後のための蓄え

C O F F E E　B R E A K

物価

物価はマクロ経済問題を考える上で最も重要な要素の一つです。物価が持続的に上昇していく現象をインフレ、持続的に下落していく現象をデフレと呼びます。II章で詳しく取り上げますが、インフレもデフレも国民生活にとっては好ましいものではありません。インフレやデフレを極力起こさないようにすること、そして万が一インフレやデフレが起きたときにはそこから脱するようにすることが、経済政策の重要な課題となります。

物価を測る指標にはいろいろなものがあります。国民が消費生活で購入する普通の財やサービスの物価を基本にして計算される消費者物価指数、企業間で取引される原材料や投資財などを中心に計算される企業物価指数、そしてGDP 統計に関連して使われる GDP デフレーターなどが、物価指数としては代表的なものです。こうした物価指数がどのような動きを示すのかを見ることで、物価の動きを判断するわけです。

図1－1　インフレによる資産損失のイメージ

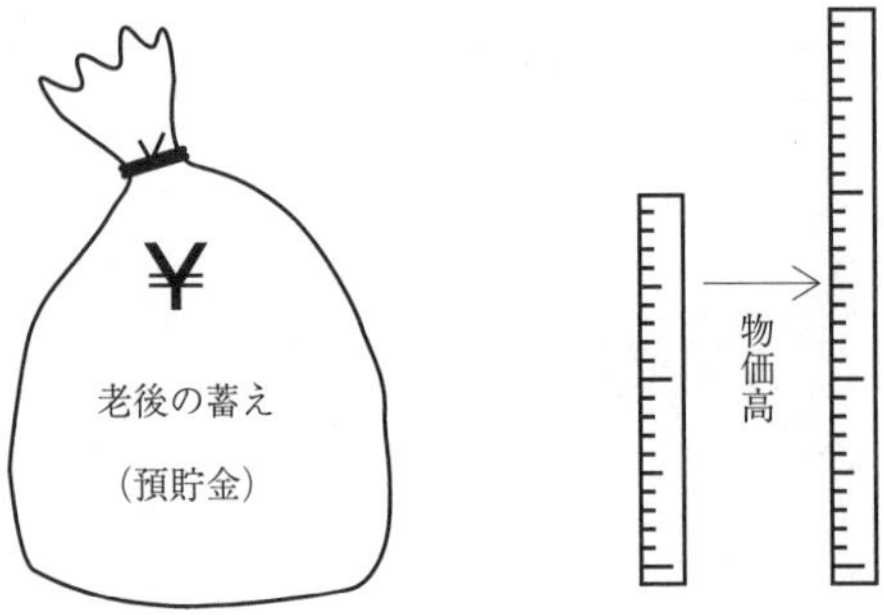

インフレ（物価上昇）で財やサービスの評価が高くなる。一方、お金の価値は下がる。それで、老後のためにとってあった預貯金の価値は目減りしてしまう。

の約二〇％を奪ったのと同じことになるのです。

たとえば四十年間働いて、老後のためのおカネをためていた老人がいたとします（当時は蓄えの多くを銀行預金や郵便貯金のような形で持っていたと考えられます）。もし物価が二〇％上がれば、その蓄えの実質的な価値は二〇％下がることになります。これは四十年の二割、つまり八年分の蓄えを失ったことに等しくなるのです。このような意味で、インフレは日本中の老人の資産を奪うという、大変大きな傷跡を残しているのです。

もしインフレの恐ろしさを知っていれば、資産の一部を株や不動産や金、あるいは外貨建ての資産にして持つことによって、インフレの被害を免れることができたでしょう。しかし、そうした準備をしていた人はそれほど多くなかったのではないでしょうか。そのような意味で、この時期にインフレを起こした原因がどのような政策的な失敗にあったのかを確認することは重要なことですし、その教訓を生かさなくてはいけません。

(2)　人生設計を狂わせるデフレ

インフレとは逆に、物価が持続的に下落していく現象をデフレと呼びます。戦後長いこと、ほとんどの国でその現象が起こることはありませんでしたが、九〇年代の末から、日本で深刻なデフレが起こり始めました。その原因としては、バブル崩壊によって株価や地価が下落したこと、それに伴って銀行の不良債権が増えたこと、その中で多くの企業が倒産したことなどが考えられます。このデフレがまた、多くの家庭の台所を直撃したのです。

八〇年代のバブルの時期に、中堅サラリーマンの多くが、住宅ローンを組んで住宅を購入しました。この時期には、地価も給料も毎年上がっていくような状況だったので、将来をあまり心配することなく、高い住宅を購入することができたのです。しかし、バブル崩壊の中で、不動産の価格は下落し、しかも、デフレによってサラリーマンのボーナスはカットされ、給与も下がっています。会社が倒産して仕事を失う人も出ています。

こうした人にとって住宅ローンの返済は大変重荷になっていますが、残念なことに住宅を売ってローンを返すということが不可能になっています。なぜなら、地価の下落で不動産の価値

図1－2　デフレの連鎖のイメージ

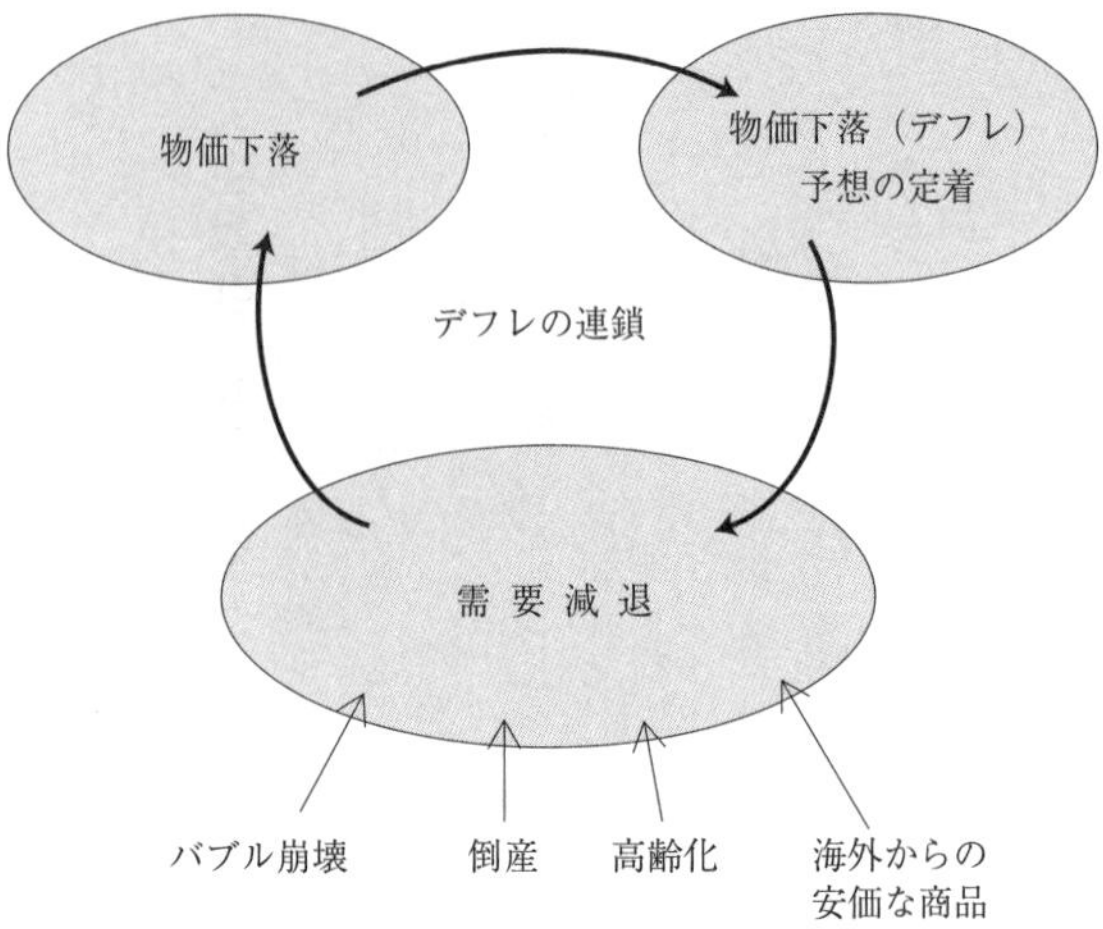

物価が下がり始めると、人々はさらに物価が下がるという予想を強める（デフレ予想の定着）。それが財・サービスや不動産などの買い控えを起こし、需要減退を通じて、さらに物価下落を起こす要因となる。

は下がっているのに、住宅ローンの額そのものは変わらないので、家を売ってもまだローンが残ってしまうからです。

このような厳しい状況の中で、個人破産に追い込まれたり、家庭が崩壊したりしたサラリーマン世帯も少なくありません。デフレの下での経済的な困難を避けるために、政府はさまざまな政策を試みてきましたが、残念ながら早急にデフレを解決する方法は見つからない状況です。

インフレやデフレは、経済学の教科書の中だけの話ではありません。私たちの日常の生活だけではなく、人生設計そのものを狂わせてしまうような大きな影響を持つものです。インフレやデフレから逃げることはできませんが、こうした問題が起こり得ることを認識して日々の資産運用などを行っていれば、避けられる問題も少なくないはずです。さらには、インフレやデフレを起こしかねないような政府や中央銀行の施策を、国民一人ひとりが厳しくチェックし、そうしたことを招かないような議論を交わすことが重要だろうと思います。そうした意味で、経済問題は私たちの生活に深くかかわってきています。

(3)　円高・円安で経済は大きく揺れる

次に、為替レートの変化がどのようにわれわれの生活に影響を及ぼすかについて触れてみたいと思います。テレビや新聞の報道を見ていると、為替レートについての話題がない日はないといっても過言ではありません。円高や円安で一喜一憂するという報道がされています。トヨタ自動車や松下電器産業などの輸出型企業では、為替レートが一ドル当たり一円高くなると、数十億から一〇〇億円近い利益が吹っ飛んでしまうというような報道さえなされます。

一方で、スーパーやディスカウントストアなどに並んでいる商品の多くは中国などからの輸入品で、円高になるほど安くなるという形で、消費者に恩恵をもたらしています。また、為替が円高に振れていくほど海外旅行の費用は安くなり、より贅沢な旅行ができることも確かです。

ソニー26％減益
構造改革費用・円高響く
10―12月 純利益

ソニーが二十八日発表した二〇〇三年十―十二月期の四半期決算（米国会計基準）は、連結純利益が九百二十六億円と前年同期に比べ二六％減った。デジタル家電の販売が好調で売上高は四半期ベースで過去最高となったが、五百億円強に上る構造改革費用が重荷になった。円高も響いた。

日本経済新聞（2004年1月29日付朝刊）

いったい円高は日本にとって良いことなのでしょうか、あるいは悪いことなのでしょうか。こうした疑問を持ったことがある人も多いと思いますが、残念ながら答えは簡単ではありません。円高によって得をする人もいれば、損をする人もいます。円高や円安という為替レートの変動によって、私たちの生活や、企業や経済がどのように影響を受けるのかということを理解することは非常に大切なことだと思います。

私たちの意識しないところで、毎日、膨大な金額の通貨が取引されています。通貨が取引され、為替レートが決まってくる市場を外国為替市場といいます。目に見える形で外国為替市場という市場があるわけではありませんが、世界中の金融機関などがお互いに円やドルを売り買いしていることを、比喩的に外国為替市場といいます。ここでは毎日、一兆ドルから二兆ドルの通貨の取引が行われているといわれ、年間ベースに置き換えると、日本の経済規模の五十倍から百倍、世界の貿易量の五十倍から百倍という、巨額な規模になっています。

こうした通貨の取引があることによって、グローバルな形でのさまざまな経済取引が可能になっています。貿易や国際投資を通じて私たちの日々の生活は世界につながり、世界の片隅で起きた出来事が瞬時のうちに地球上のあらゆるところに影響を及ぼすスピードを持っています。そうした中で、為替レートの動きが非常に重要な役割を演じているのです。為替レートの影響を見ることが、この三十年の日本の経済の動きを知るための一つの重要な手がかりになるといっても過言ではないと思います。

2　経済学は実際の世界でどのように利用されているのか

以上、三つほど事例を挙げながら、経済の動きが私たちの日々の生活に大きくかかわっていることを説明してきましたが、次に、経済学という学問が、実際に世の中でどのように利用されているかということについて、いくつかの事例を述べてみたいと思います。

経済学は大学の中で行われている基礎的な研究だけでなく、現実の世界でもさまざまな形で利用されています。大学で進められている先端的な研究は、想像以上に速いスピードで現実の世界で利用され、同様に、現実の世界で見られるさまざまな経験や問題も大学での研究成果に反映されています。

(1) 政策運営への影響

最初に、政策運営の上で経済学がどのように使われているかを見てみましょう。日本ではいろいろな公的機関が経済政策の立案や運営にかかわっています。内閣府、財務省、経済産業省、総務省等々、多くの省庁で経済政策が立案され、運営されています。個別の省庁の政策の中身についてはここで詳しくは触れませんが、すべての省庁の政策運営には、濃淡はあっても何らかの形で経済問題がかかわっているといっても過言ではありません。経済政策の立案や運営をする上で、経済学の分析手法が幅広く利用されています。

たとえば内閣府が毎年出している「経済財政白書」(かつての経済白書)を見ると、経済学の分析が政府の政策に非常に深くかかわっていることがよくわかると思います。消費の動き、為替が貿易や物価に及ぼす影響、あるいは物価の動きの背後にあるさまざまな要因、公共投資や減税などの政策がもたらす影響など、具体的な大きさを把握するためには、何らかの数学的なモデルを利用する必要があります。こうしたモデルは、内閣府をはじめとした政策官庁のコンピュータの中に入っていて、それを動かすことによって具体的な政策の数量的な大きさが把握されます。

金融政策を司る日本銀行においても、景気にかかわる諸々の経済活動とともに、金融市場のさまざまな動きを分析するモデル分析が行われています。日本銀行、内閣府、財務省、経済産業省などの研究所からは、経済分析を用いた研究成果も多く発表されています。現代においては、経済分析なくしては経済政策を行うことは不可能になっているといってもいいでしょう。

(2)　金融ビジネスの理論的基盤にも

次に、ビジネスの世界で経済分析が幅広く使われている例として、ＬＴＣＭ事件を取り上げたいと思います。ＬＴＣＭというのはアメリカの有名なヘッジファンドで、その破綻が世界的な話題となりました。ヘッジファンドは、大口の投資家から巨額の資金を預かり、それを積極的な形でリスクをとりながら、株式、債券、為替などに投資を行う金融機関のことです。一般の銀行や証券会社と違って、ごく少数の投資家のおカネを運用するので、政府の規制にあまり影響を受けない自由な投資活動を行っています。

ＬＴＣＭは、高度な金融モデルを駆使して積極的な投資を行うことで高い投資収益を上げていただけでなく、ノーベル経済学賞を受賞した二人の大物研究者がかかわっているということでも話題になりました。

しかし、ロシアへの投資の失敗から、巨額の損失を被ることになり、金融市場を揺るがす大きな騒ぎになりました。ノーベル経済学賞を受賞した学者がかかわるヘッジファンドでも大きな損失を被るということが話題になった一つの理由でしたが、それぐらい最先端の経済理論が金融ビジネスに深くかかわっているということを世界に知らしめる上でも大変重要な事例だと思います。

ヘッジファンドはもとより、普通の証券会社や銀行の実務の上でも、最先端のファイナンスの理論は欠かすことができない存在になっています。金融機関のコンピュータの中には高度な金融理論のモデルが入っていて、それを動かすことによって投資の方向性についての検討が行われています。アメリカのビジネススクールを中心として、高度なファイナンス理論の教育が行われ、これらの大学院の卒業生は高額な報酬を提示され、金融機関をはじめとしたところに就職していきます。

(3) 国際経済の枠組みをも動かす

最後に、国際機関の例を挙げてみたいと思います。グローバル化の中で、国際的なレベルでの経済政策、とりわけ発展途上国に対する政策的な支援や協力の重要性が増しています。このようなことを行う機関として、アメリカ東部のワシントンには、ＩＭＦ（国際通貨基金）、世界銀行といった組織があります。ジュネーブには国際貿易の制度を取り扱うＷＴＯ（世界貿易機関）、パリにはＯＥＣＤ（経済協力開発機構）があります。これらの国際機関はそれぞれ少しずつ違った役割を持っていますが、いずれの組織にも経済学の博士号を持った多くの専門家が職員として所属し、実際の政策運営にかかわっています。

たとえばＩＭＦは、国際通貨システムや各国のマクロ経済の安定を目的として、戦後設立された機関です。この二十～三十年は、経済危機に陥った発展途上国への融資機関としても重要な役割を果たしてきました。しかし、九七年にタイや韓国で起きたアジア通貨危機の際には、ＩＭＦがこれらの国に融資の条件として求めた経済改革策があまりにも実態と合わないということで、多くの批判を受けました。

ＩＭＦは、市場原理をフルに応用して、発展途上国でも大胆な規制緩和を行い、政府の財政政策についても、赤字を出さないような規律化が重要であるという主張を前面に出しています。こうした考え方は、ＩＭＦの事務局があり、またＩＭＦに強い影響力を及ぼしているアメリカの首都でもあるワシントンという地名になぞらえて、ワシントンコンセンサスと呼ばれています。ワシントンコンセンサスについては世界的な議論がわき起こっていて、特に発展途上国の中には、厳しい批判をする人が少なくありません。IMFもそうした動きを受けて、組織の改革に着手し始めています。

いずれにしても、発展途上国に対する経済支援や、その条件としての政策提言については世界的な議論が起きています。そこでは、発展途上国に対する支援を経済学的にどう考えたらいいのかという、この本でも取り上げている、まさに経済システムのあるべき姿についての根本的な問題が語られているわけです。

もう一つの国際機関の例とし

COFFEE BREAK

近代経済学とマルクス経済学

日本には、近代経済学とマルクス経済学という面白い分類があります。社会主義国の破綻が続く中で最近はマルクス経済学の勢いは以前ほどではなくなりましたが、私が学生のころはマルクス経済学を専攻している先生のほうが多く、近代経済学はどちらかというと少数派でした。現在でも、いろいろな大学で教えている教授陣の中にはマルクス経済学で学位をとり、その延長線上で研究をしている人が少なくありません。欧米の大学にはマルクス経済学的な研究をしている人はほとんどおらず、社会学や歴史思想などの分野でマルクス経済学的な考え方を教えている人がごく少数いる程度です。

経済学を体系的に学ぶという意味では、両者の体系には相互連関性はほとんどありません。私が学生のころはマルクス経済学が経済学部の必修科目でした。正直なところ、その後の私の研究者生活においてマルクス経済学的な考え方を利用したことは一度もありませんでした。この本でもマルクス経済学の考え方にはまったく触れていません。

て、ジュネーブにあるWTOについて一言触れておきましょう。WTOは、その前身であるGATT（関税および貿易に関する一般協定）から継続して、世界の貿易自由化推進の牽引車となってきました。WTOの下で、多くの国の貿易障壁は撤廃され、その結果、国境を越えたモノやサービスの貿易や投資の額は急速に拡大しています。

こうしたグローバル化の動きが世界の経済成長に大きな貢献をしたことは否定できない事実ですが、一方で、富める国と貧しい国の格差を広げ、さらには地球環境の悪化の原因にもなっているといった、厳しい批判が出てきました。

批判の声を上げているのは途上国の政府だけではなく、先進国を中心としたNPOのような市民団体も、その活動の中心となっています。世界各地で行われるWTOの会議では、最近、多くのNPOによる抗議行動が起こり、WTOのあるべき姿についての議論を提起しています。これも後の章で取り上げるように、市場経済メカニズムをどこまで推し進めていくのかという、経済学の重要な問題と深くかかわっています。

実務の世界でも、高度な経済理論や分析手法が使われることも少なくありませんが、より多くの読者が基本的な経済学的なものの見方に習熟することも重要であると思われます。経済学は、社会人が社会における経済現象を読み解き、あるいは経済問題と向かい合っていくための、プロフェッショナルとしての基本的な知識、あるいは技能であると考えることができます。

3　経済学の思想はどのように発展してきたか――三つの論争

経済学は長い伝統を持っており、多くの経済学者の研究と論争の中から、現在の形に発展してきました。経済学は社会現象である経済問題を扱う学問であるということから、その時どきの大きな経済問題を議論する論争の中で、当然、さまざまの異なった学説が生まれています。学説間の論争や対立は、単に学問上の論争だけにとどまらず、その時どきの経済運営や政策運営にも大きな影響を及ぼします。

近代経済学の父といわれているアダム・スミスが、その名著『国富論』を出版してから、既に二百年以上経っています。その間に、実にさまざまな経済理論が生まれ、展開されてきました。以下に、経済学の歴史の中でよく取り上げられる三つの論争を簡単に紹介してみたいと思います。

(1)　自由貿易か保護主義か――アダム・スミスの登場

第一の論争は、自由貿易主義と保護主義の論争です。そもそもアダム・スミスが『国富論』を著した最大の目的は、当時、支配的な考え方であった重商主義を批判することでした。重商主義の最も中心的な考え方は、輸出はその国に貨幣をもたらすが、輸入はもたらさないので、輸出は好ましいが、輸入はあまり好ましいことではないというものです。それは結果として、海外からの輸入については制限を設けるべきであるという政策運営につながっていきました。イギリスでは、穀物の輸入に制限を加えるべきであるという、穀物法の扱いをめぐって政治的にも大きな対立が起きていました。

アダム・スミスは『国富論』の中で、重商主義は愚かなこと

COFFEE BREAK

アダム・スミス

スコットランドが生んだ経済学の父。1776年に出版された『諸国民の富の性質と原因に関する研究』（『国富論』）はあまりに有名な経済学の古典です。この書の中でスミスは当時支配的であった重商主義の考え方を痛烈に批判し、市場メカニズムの持っている基本的な構造を非常に明確な形で明らかにしました。重商主義の考え方によれば、輸出は金など国の富を増やすが、輸入はそれを減らす結果になるので、輸出が増えることは好ましく、輸入が増えることは好ましくないということになります。現代の保護主義に通じるような考え方です。スミスはこうした考え方を批判し、海外と自由に貿易することで国民の経済利益が高まり富も拡大すると主張しました。

スミスの国富論は当時としては大ブームを起こし、思想的にも大きな影響を及ぼしました。その内容は貿易自由化論という重商主義批判にとどまらず、その後の経済学全体の展開に影響を及ぼす市場メカニズムの分析に深く切り込んでいます。

表１－１　自由貿易のメリット

・海外から安価な商品を輸入できる
・海外に商品を輸出して利益を上げられる
・海外から機械や原材料が輸入されることで、技術やノウハウが移転される
・海外市場で大量に販売する機会を得ることで、国内生産のスケールメリット（規模の経済性）が生かせる
・海外企業からの競争圧力があることで、国内の独占の弊害を軽減できる
・輸入を通じて多様な商品が消費できるようになる

であり、国境を越えて自由に貿易を行うことこそが国民の利益にかなうものであるということを雄弁に語っています。そうした考え方の背後にあるのは、市場経済、あるいは自由な経済活動が持っている活力についての分析です。個々の企業や国民の一人ひとりが、経済的な利益を自由に求めるように行動させてあげればよい。利己的な利益を求めて個々の経済主体が動いたとしても、価格という調整機能によって、社会全体に秩序が生まれる。しかも、個々の経済主体が自分の利益のままに動くこと自体が、経済活力の大きな源泉になると。

これがアダム・スミスの市場観です。公的な部門、つまり政府の役割は治安を維持する夜警のようなものだけで十分であるという彼の「夜警国家論」がよく知られています。

重商主義をめぐる自由貿易の問題は、自由な経済活動や市場活動を国境を越えたところにまで広げた話です。そうした意味では、自由な経済活動を擁護するアダム・スミスの考え方は、ごく自然な形で自由貿易を擁護する形のものになります。

スミスの考え方を受けて、イギリスの経済学者であるデイビッド・リカードは比較優位という考え方を提唱しました。比較優位の考え方は、それぞれの国には自分の得意な産業と不得意な産業があるはずだから、限られた資源を得意な産業に集中し、不得意な産業で生み出される財やサービスについては、自国でつくるより、外国でつくられたものを輸入するほうがその国にとって利益になる。つまり、自由貿易は、各国が得意な分野に特化していくことによって、相互に経済利益をもたらすということを明らかにしたことになります。

アダム・スミスやリカードの議論は、

C O F F E E　B R E A K

デイビッド・リカード

比較優位の理論（下巻のⅨ章参照）を構築した理論家として知られますが、もともとは証券仲買人（ブローカー）として大成功をおさめた資産家でした。たまたま保養に来ていた温泉地で手にしたアダム・スミスの『国富論』に感銘を受け、経済学や経済問題への関心を急速に深めていきます。

ノーベル経済学賞を受賞したアメリカの経済学者ポール・サミュエルソンは、自然科学者から経済学の理論で最も特徴的なものは何かと問われて、リカードの比較優位の理論を挙げています。非常に単純な構造ですが、実に深淵な理論で多くの経済現象にこの比較優位の考え方が潜んでいます。経済学の研究を始める前のリカードは、数学や自然科学の問題に深い興味を持っていて独学で勉強していました。彼の分析が抽象的なモデルに基づいていたのは、こうした彼の学問的な興味によるものでしょう。

表1－2　保護主義の考え方

・海外からの輸入の拡大は国内の生産者の利益を損ねる
・輸入が増えれば国内の製品が売れなくなるので、国内の雇用にも好ましくない影響を及ぼす
・海外から安価な商品が大量に流入してくれば国内の生産は縮小するし、国内の企業も低コストの海外に工場を移転するので、国内の産業は空洞化する
・経済発展の途上にある国の産業は、まともに先進国の企業と競争したら淘汰されてしまう。そこで一時的に輸入を制限して産業保護を行うべきだ（幼稚産業保護）
・先進工業国にとっても自国の先端技術産業を育てるためには、自国の産業を保護する必要がある

自由貿易を擁護するという政策的な意図から生まれたものではありますが、非常に精緻な市場経済の分析、あるいは貿易メカニズムの分析につながり、その後の経済学の発展に多大な貢献をしました。国際貿易の政策的な問題が、古典的な経済学の基礎をつくる大きな原動力となったといっても過言ではありません。

ただ、自由貿易を擁護する強力な議論がスミスやリカードによって提唱されたにもかかわらず、現実の世界では、それに対抗した保護貿易主義的な議論も常に根強くありました。最も有名な議論は、ドイツの経済学者、フリードリッヒ・リストが展開した産業保護論で、中でも、幼稚産業保護論は大変大きな影響力を及ぼしています。当時のドイツは、スミスやリカードのいたイギリスに比べて、遅れて経済発展してきた国でした。後発国のドイツが当時、世界で絶対的に優位であったイギリスに伍していくためには、一時的に自国の産業を保護し、産業の力を蓄えることによ

って競争力をつけることが重要であるというのがリストの考え方でした。

リストの幼稚産業保護論や産業政策に関する諸々の議論は、ドイツの立場を裏付けるものとして見ることができますが、こうした考え方は現在でも多くの発展途上国の政策担当者に強く支持されています。日米欧のような先進国と同じ土俵で競争をしていたのでは、自国の産業の発展は望めないので、一時的に海外からの貿易を制限することによって、自国の経済発展につなげていくことが必要であるという考え方になるわけです。

先進国においてさえも、保護主義的な考え方が根強く残っています。アメリカやヨーロッパでは、最先端の産業を育成・発展させるために、海外からの輸入や、海外との競争に対して制約を加えようとする政治的な力は、常に強く働いています。スミスが『国富論』を書いてから二百年、世界の通商政策や経済政策においては、自由貿易主義と保護主義の闘いの連続であるといってもよく、その中でさまざまな経済理論が生まれてきました。この問題はまだ決着がついているわけではなく、先に触れた反グローバリズムの動きなども、新たな形の保護主義のあらわれであると見ることもできるでしょう。

(2)　ケインズ革命とマクロ経済政策論争

経済学の発展の中で見られる第二の大きな論争点として興味深いのが、ケインズによって始められたマクロ経済学の分析と、それに対するさまざまな論争です。イギリスの経済学者ジョン・メイナード・ケインズは、『雇用・利子及び貨幣の一般理論』という古典的な名著を著し、マクロ経済学と呼ばれている経済分野に大きな足跡を残しました。

ケインズの主な主張は、一九三〇年代に世界に蔓延した大不況の経験に大きな影響を受けており、市場経済というのは、放置しておけば失業や経済的な停滞という厄介な状況に陥る可能性があり、そうしたことを是正するためには、政府によって積極的な財政政策や

COFFEE BREAK

ケインズとケインジアン

1936年に出版されたジョン・メイナード・ケインズによる『雇用・利子及び貨幣の一般理論』は、ケインズショックともいうべき大きな影響を世界の経済学者に及ぼすとともに、その後の経済政策運営にも大きな影響をもたらしました。ケインズの理論は、イギリスのケンブリッジ大学を中心とした学者のサークルの中で育て上げられてきました。しかし、そのケインズの理論がアメリカに渡り、アメリカの多くの経済学者によってケインジアンの経済学として発展することで、さらに大きな影響力を持つことになるのです。マクロ経済のデータをコンピュータで解析することで経済の予測を行い、政策の効果を測る上でもケインジアンのモデル分析が積極的に活用されました。

イギリスのケインズの高弟たちはアメリカで発展したケインジアンの考え方に必ずしも同意していたわけではありませんが、アメリカのケインジアンの影響が世界中に広がることになるのです。

金融政策を展開することが必要であるというものです。すなわち、当時の古典派経済学者の、政府による市場への介入をできるだけ少なくするべきであるという主張に対する批判の書として、先の『一般理論』を著したわけです。

ケインズの考え方は、第二次世界大戦後のアメリカで、ケインジアンの経済学として広く普及していきました。ケインジアンの経済学者は、実際のマクロ経済の動きを、計量経済学と呼ばれる手法で数量的に捉えることにより、具体的にどのような規模の財政政策や金融政策を行っていったらいいかという、政策提言にまでつなげていきました。ノーベル経済学賞を受賞したローレンス・R・クライン、ジェームス・トービン、あるいはロバート・M・ソローといったケインジアンの経済学者たちは、アメリカ政府のアドバイザーとして経済政策運営に大きな影響を及ぼしています。先に触れたように、政府はコンピュータのマクロモデルを動かし、政策運営に利用しようとしていますが、こうした動きは戦後のケインジアンの政策運営への関与から続いてきたものです。

しかし、ケインジアンの考え方に対して批判的な動きがなかったわけではありません。最も強力な批判者は、シカゴ大学で教鞭をとっていたミルトン・フリードマンを中心とした、マネタリストと呼ばれる人たちです。マネタリストはケインジアン的な形での、積極的な財政政策や金融政策を活用した経済への介入を強く批判しました。

マネタリストの考え方は、その後、これもノーベル経済学賞を受賞したロバート・ルーカスなどによる新古典派のマクロ経済学として、さらに拡大・発展を遂げました。新古典派のマクロ経済学者たちの基本的な考え方は、政府の政策の最も重要な役割として、財政・金融政策で経済活動に恣意的に介入して、経済をむりやり拡大させたり、あるいは縮小させたりするのではなく、金融をできるだけ安定化させるようなルールを形成し、維持するとともに、財政収支を可能な限りバランスさせるような方向に持っていくという、規律のとれた政策運営を求めるものであったわけです。

この三十年ほどのマクロ経済政策の論争は、ケインジアンと新古典派の論争を軸として展開され、現在に至ってもこの論争には決着がついていません。実際、日本の政治家や政府の高官の経済政策運営に関する発言を見ても、ケインジアン的な色彩が強くあらわれている人と、反ケインジアン的な見方をする人と、その違いが顕著に見えるケースが少なくありません。

(3) 資本主義論争——市場か計画か

三つ目のエポックとして、資本主義論争について触れておきたいと思います。二十世紀の世界最大の経済論争は何であるかを考えてみると、おそらく資本主義と社会主義のどちらが好ましいかという、経済体制のあり方に対する論争であると思います。

これは単に研究者や学者の論争にとどまらず、アメリカという資本主義を代表する大国と、ソビエト連邦という社会主義を代表する大国との間の、冷戦構造というものを生み出しました。米ソの冷戦構造は、一方では経済や政治の世界における権力の対立の問題であると同時に、他方では好ましい制度のあり方に対するイデオロギーの対立でもあったのです。

第二次世界大戦後、この二つの勢力はそれなりに拮抗していたと見ることができます。戦後の初期、社会主義陣営はそれなりに勢力を拡大していきました。一番最初に人類を宇宙に送り出したのはソ連ですし、五〇年代には、

COFFEE BREAK

社会主義の犯した罪

社会主義の考え方は、本来は弱者にも配慮したものであったはずです。富や所得が一部の特権階級に集中することを排除し、すべての国民ができるだけ平等な機会を得るべきだという考え方です。しかし、現実に社会主義を導入した多くの国では、弱い国民を迫害するような結果になりました。現在の北朝鮮の飢餓の現状を見れば現実の社会主義がいかに矛盾に満ちたものであるかわかると思いますが、かつてのソビエト連邦や中華人民共和国でも多くの国民の命が経済体制の問題点の犠牲になりました。文化大革命の中国で多くの知識人が迫害にあったこと、そして経済運営の失敗から多くの中国人の命が犠牲になったことはいろいろな形で報告されています。ある調査によれば、社会主義の体制の下で犠牲になったソ連国民の数は、第二次世界大戦によって亡くなったソ連国民よりもはるかに多い数になるということです。

ソ連経済は西側の資本主義経済を凌駕するような勢いで、急激な成長を遂げているように見えました。それとともに、社会主義の考え方は発展途上国に広がり、中国やインドのような国でも社会主義的な経済運営が行われてきました。

学問の世界でも、社会主義か資本主義かという論争が大変活発に行われました。これもノーベル経済学賞を受賞したオーストリアの経済学者、ハイエクは、Ⅳ章で触れるように、市場経済、あるいは自由主義経済の利点を非常に説

C O F F E E B R E A K

カール・マルクス

「ヘーゲルはどこかで、すべての世界史上の大事件と大人物はいわば二度現れる、と言っている。ただ彼は、一度は悲劇として、二度は茶番として、とつけくわえるのを忘れた。……人間は、自分で自分の歴史をつくる。しかし、自由自在に、自分で勝手に選んだ状況の下で歴史をつくるのではなくて、直接にありあわせる、あたえられた、過去から受け継いだ状況のもとでつくるのである」(『ルイ・ボナパルトのブリュメール18日』村田陽一訳、国民文庫)。あまりにも有名なマルクスの言葉ですが、マルクスの歴史観がわかるような気がする文章です。20世紀の世界はマルクスの思想によって振り回されました。ロシア革命や中国の共産党革命にマルクスの思想が及ぼした影響は計り知れないものがありますし、戦後の日本でも多くの大学で『資本論』をはじめとするマルクスの多くの著作が読まれました。既に触れたように、多くの国の社会主義が崩壊する中で、現在ではマルクスの思想はすっかり過去のものとなっています。マルクスの著作も、古典の一つとして読まれるだけの存在となっています。

得的に主張しました。一方、ポーランドのオスカー・ランゲのような経済学者は、社会主義、あるいは計画経済の下でのほうが、所得格差はより少なく、安定的な経済運営ができるという主張を行ってきました。

　この論争は結果的に、九〇年のベルリンの壁の崩壊と、その前後の社

COFFEE BREAK

ハイエク

　上智大学の渡部昇一教授はその著作のタイトルで、ハイエクを「マルクスを殺した男」とあらわしています。ハイエクは経済学者であるのにとどまらず、20世紀を代表する思想家として自由経済主義の考え方について掘り下げるとともに、その普及に大きな貢献をしました。徹底した規制緩和を進めてイギリス社会の改革を行ったマーガレット・サッチャー首相は、ハイエクの著書『隷従への道』を愛読したと伝えられています。

　この本の中でハイエクは社会主義の抱えている問題を徹底的に分析しています。本書でもⅣ章で詳しく説明しますが、ハイエクの市場経済の考え方の根底には、情報に関する彼独特の見方があります。経済活動を営んでいく上では生産や消費の現場でのささいな情報が重要な意味を持ちますが、それを計画経済的に中央に集めてくることは不可能です。そうした「場の情報」を有効に生かすためには、そうした情報を持っている個々の経済主体が自由に行動できるような仕組みが好ましい。それが市場経済であり、そこでは価格が情報を伝達する上で重要な役割を果たしているのです。ハイエクは活動の拠点をヨーロッパからアメリカのシカゴ大学に移し、そこで自由経済主義の考え方をさらに広めるために積極的な活動を展開しました。結果、シカゴ大学を中心に、シカゴ学派と呼ばれる自由経済主義の考え方を強く持った研究者が多く輩出されました。

会主義経済の破綻によって幕を閉じることになります。社会主義経済の多くは、経済的な困難に陥り、計画経済が持っている問題点が次第に露呈してきたのです。一方で、市場主義経済のほうは、八〇年代に入り、アメリカのレーガン大統領やイギリスのサッチャー首相に代表されるような、規制緩和を積極的に進めていく路線が広がり、社会主義経済との大きな違いを実現していきました。

現在では、社会主義経済や計画経済の利点を説く研究者も実務家もほとんどいないといって構わないと思いますが、しかしそれは、市場経済が万能であるということを意味するわけではありません。市場経済が世界に広がっていく中で、先進国と発展途上国との間の所得格差が大きくなり、また市場経済化した発展途上国などでは国内の貧富の格差が急速に拡大し、さらには地球環境の問題がより深刻になっています。そのような状況で、グローバルな世界の中で安易に市場経済化を広げていくことが好ましいかどうかということについて、さまざまな論議が出てきています。先に触れた反グローバリゼーションの動きもそうした流れの一つと見ることができます。

4　幅広い対象に多様にアプローチ

(1)　多様な分析対象

経済学の特徴は、分析手法が非常に幅広いとともに、その応用分野も広範であるということにあると思います。これは分析手法が確立している自然科学などの分野とは大きく違う点です。本書でも、経済学の持っている幅広い側面をできるだけ紹介したいと思いますが、すべてカバーできるわけではありません。そこで以下に、経済学の持っている広がりについて若干説明しておきましょう。

経済学の基礎を成すのは理論的な分析です。この本でもマクロ経済学やミクロ経済学という、経済学の最も基本的な理論について学ぶわけですが、この経済理論には、高度で精緻な数理的分析から、数理的な分析によらないより深い思想的な考察まで非常に幅広いものが含まれています。

数理的なロジックを展開して分析するという意味では、最近、ゲーム理論の考え方が多くの問題で使われています。このゲーム理論の考え方は、経済学にとどまらず、社会科学全般、あるいは生物学のような分野でも、より広範に使われるようになってきています。

表１－３　東京大学経済学部の専門科目リスト

（2003年度、上級科目・選択科目を除く）

専門科目(1)	専門科目(2)	専門科目(3)
経済原論	経済学史	計量経済学
ミクロ経済学	計量経済学	産業組織
マクロ経済学	景気循環論	貿易・国際金融
統計	現代資本主義論	経営管理
現代経済	数理統計	経営戦略
経営	日本経済	企業金融
企業経済	財政	労使関係
会計	金融	経営史
経済史	産業組織	日本経営史
	農業経済	マーケティング
	労働経済	経営科学
	都市経済	財務会計
	国際経済	管理会計
	開発経済	
	貿易・国際金融	
	現代日本経済史	
	現代西洋経済史	
	近代日本経済史	

数理的な分析は、理論的なロジックの展開をするためだけに使われるのではなく、実際のデータを分析するための計量経済学という分野につながっていきます。計量経済学は、さまざまな統計手法を駆使し、実際のデータを分析することにより、抽象的な理論の正しさを検証したり、複雑なデータの中に潜んでいる基本的な経済的関係を抽出するといった目的で使われます。最近の統計データの整備や、コンピュータの性能の向上により、計量経済学的な手法はますます重要になっています。

このように、経済学はきちっとした理論的な基礎の上に構築されているので、世界中の多くの経済学者がこの理論的な基礎の上で分析を行うことにより、学問の国際的な発展につながっています。そうした意味では、経済学というのは社会科学の中では最も自然科学に近い分野であるといってもいいでしょう。

他方、自然科学と大きく異なる点は、経済問題の大半は実験が非常に難しいということです。すべての経済現象は一度しか起こらないので、実験室で再現することはできません。したがって、計量経済学の手法を使って、過去に観察されたデータから経済的なメカニズムを抽出するという作業は、非常に重要な意味を持ってくるわけです。

さらに、経済学の中で重要な役割を果たしているのは、歴史的な事実に基づく分析を行う経済史という分野です。実験のできない社会科学では、歴史から多くのことを学ぶことができます。日本経済という素材で考えただけでも、江戸時代からの商業の発達や、鎖国から開国への変化によって起こったこと、明治時代の富国強兵の時代の産業の拡大、昭和初期の大恐慌の経験、第二次世界大戦中の統制経済の状況、あるいは戦後の混乱からの経済の復興、一九五〇年代から六〇年代にかけての高度経済成長と、歴史を分析することで、現実の問題の本質を把握する上でさまざまなヒントが得られます。

こうした理論的、実証的、そして歴史的な分析に基づいて、多くの応用分野の研究も行われています。経済学に現実の経済の問題を考えるための手法を提供するという目的があることを考えると、応用分野が重要な意味を持っているのは当然のことなのかもしれません。

多くの大学で提示されている講義項目をベースに、代表的な応用分野を挙げてみると、まず金融の分野があります。これは金利や株価から為替レートに至るまでの、金融市場のさまざまな動きを分析するとともに、そうした動きに政策的に介入するような金融施策の効果などについても分析を行います。

次に、国際経済学という分野があります。国境を越えて財やサービス、投資、あるいは金融取引といった、さまざまな経済活動が行われています。国境を越えた取引を中心に経済現象を分析することにより、グローバル化の中での日本経済の動きや、あるいは為替レートや貿易障壁といった重要な経済現象についての分析が可能になります。国際経済学はまた、貿易自由化や保護政策といった現実の政策問題にも大きな影響を持つものです。

第三に、産業組織という分野も重要です。マクロで経済を捉えるだけでなく、個々の産業や企業の動きを分析することも経済学の大事な役割です。現代社会では、企業活動の重要性はますます高まっています。企業がどのような動機と制約の中で生産や投資を行い、技術開発や販売政策を行うのかを分析するのです。こうした分析は、経営学などにも大きな影響を及ぼしています。

政策的な意味でも、巨大な企業の行動をチェックし、独占や寡占の弊害を少なくするため、独占禁止法という法律があります。日本では公正取引委員会という政府の組織が運営しています。国際的にも、独占禁止法的な法律で産業の行動をチェックする政策として、競争政策が一層重要になっています。競争政策のあり方を考える上でも、産業組織という分野は重要な意味を持っています。

労働経済学も重要な分野です。失業や雇用が国民にとって最大の関心事であることは、間違いありません。また、「働く」という経済行為を分析するためには、単に労働だけではなく、育児、教育、介護といった家庭内の活動にも議論を広げていくことが必要になります。こうした家庭内の活動を、経済学では家計生産ということがあります。家計生産も含めた労働活動について分析することは、非常に重要です。

ここで取り上げた以外にも、法律について経済学的な分析をする法と経済や、企業の経営問題を経済学的な観点から分析するビジネスエコノミックス、あるいは流通分野を分析することによってマーケティングの問題にまで入っていくなど、実に多様な応用分野を考えることができます。

(2)　経済学にどう触れていくのか

以上のような非常に幅の広い経済の問題について、できるだけ具体的な事例を使いながら、わかりやすい形で説明していくのが本書の目的ですが、同時に、日常生活のさまざまなところで経済がかかわっているということをぜひ実感していただきたいと思います。スーパーマーケットの店頭での価格の動きから、会社や社会で話題となる賃金交渉、年金や税金の問題まで、多くの経済現象や経済問題を、自分にかかわる問題として考えてもらいたいと思います。

そうした経済問題に関心を持つためには、新聞や、経済問題を取り上げたテレビ番組などを見るのもいいことだと思います。テレビの経済番組の中には見応えのあるものも増えており、国境を越えた大きな資本の動きや、日本経済の抱えている問題の深刻さなどについて理解することができるかもしれません。新聞や雑誌でも、毎日のように面白い経済問題が取り上げられ、新聞の片隅の小さな記事が非常に大きな経済問題に広がっていくという現象に気がつくことも少なくないと思います。

また、首相が株式市場の動向について発言するように、政治の世界でも経済問題は大きな問題になっています。政治家が発表する政策についても、ぜひ批判的な視点から見るような癖をつけていただきたいと思います。

最後に、ケインズの古典的著作の『雇用・利子及び貨幣の一般理論』の最後の部分の非常に有名な一節を引用したいと思います。この部分でケインズは、世の中を最終的に動かすのは経済学や政治思想などの思想であり、それは正しく使われれば好ましいことであると同時に、誤って利用されれば弊害も大きなものであると言っています。誤った思想に基づいた政策によって大恐慌が広がり、多くの人が苦しめられたと、ケインズは言いたかったのでしょう。そして、当時の主流派からは異端といわれた彼の理論が、いずれは正しいと認められ社会を変えていくだろうという自信がこの文章の中に感じられます。

「経済学者や政治哲学者の思想は、それらが正しい場合でも誤っている場合でも、一般に考えられている以上に影響力があるものだ。実際、世の中の動きはそれ以外のものによって影響されることは少ない。いかなる知識人からも影響を受けていないと信じている実務家も、どこかの消滅してしまった経済学者の思想の奴隷であることが常だ。大気から声を聞いていると言うような常軌を逸した権力者も、少し前の三文学者の考え方からそのとんでもない考え方を学んでいる。利害関係の力は、思想が持っている浸食力に比べて、強調されすぎているように思う。こうした影響はすぐにというよりは、少し時間が経ってからあらわれるものだろう。経済や政治思想の分野では、……官僚や政治家や扇動者が現在の問題に利用しようとするのは、最も新しい理論ではないだろう。しかし遅かれ早かれ、いい意味でも悪い意味でも危険であるのは、利害関係ではなく、思想なのである」（筆者訳）

[Ⅱ]

経済を大づかみに捉えると——マクロ経済学の基本

経済は非常に複雑な組織体のようなもので、細かく見ていくときりがありません。問題によっては細部にわたって見る必要がある場合も少なくありませんが、経済を見るときにまず最初に行うことは、大きな枠組みの中で捉えることです。経済学ではこれをマクロ経済学といいます。この章では経済を大づかみする捉え方について説明していきたいと思います。

1 GDPを中心にマクロ経済を考える

(1) 捉え方はさまざま

マクロ経済学と呼ばれる分野、つまり経済を大きく捉えるための分野で最も基本的な概念が、GDP(国内総生産)です。たとえば日本のGDPは、二〇〇三年現在で、およそ五〇〇兆円です。五〇〇兆円というのは日本の経済の規模をあらわすもので、乱暴な言い方をすれば、日本で一年間に新たに生産される財やサービスの総価値であり、かつ、日本全体の所得の水準でもあります。GDPの動きを見ることによって経済の大きな流れがわかります。

たとえば図2―1に示してあるのは、戦後日本の経済成長率の動きです。これは、GDPの成長のスピードをあらわしたものです。一九六〇年代には、ほぼ毎年一〇%を超えるような率で増えていることがわかります。この時期のことを高度経済成長期といいます。それに対して、

図２－１　実質GDPの成長率

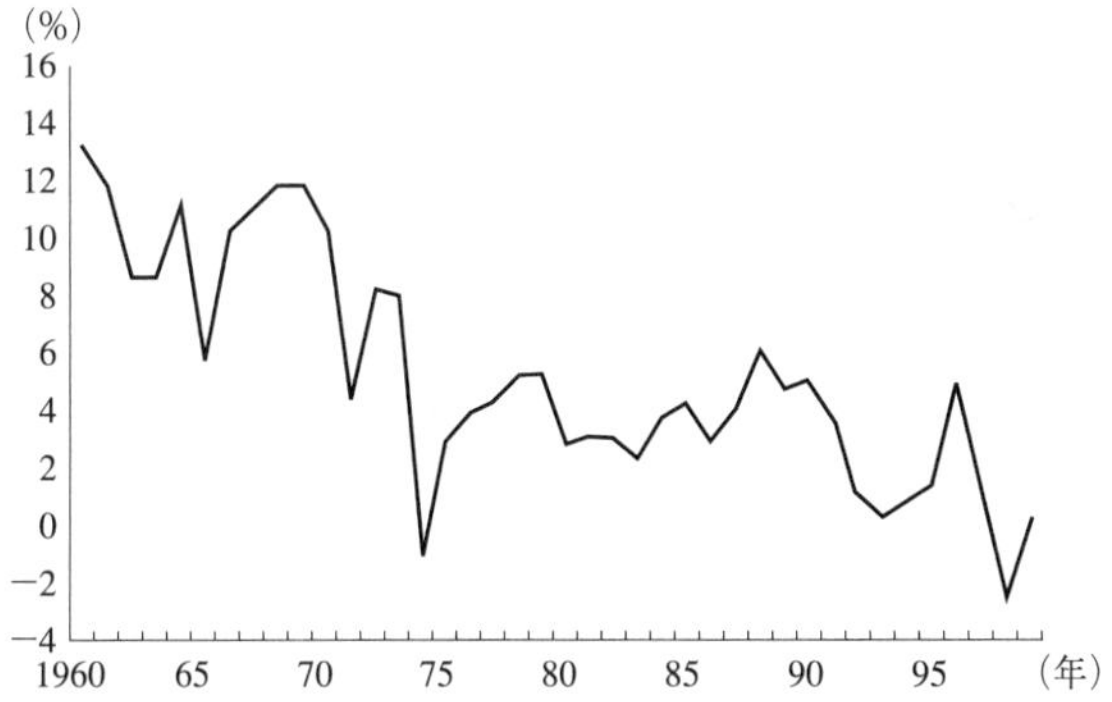

（出所）内閣府『国民経済計算年報』

この十年ほどは非常に低くなっていますし、年によってはマイナス成長の年もあります。

　このようにＧＤＰが毎年何％増えていくか、つまり経済成長率が何％であるかというのを見ることは、経済の動きを見る上で非常に基本的なことです。政府の景気の見通しでも、今年の成長率は一％にとどまりそうだとか、あるいは三％成長できそうだというような発言がしばしば行われるように、ＧＤＰの成長率である経済成長率が重要な経済指標であることがわかると思います。

　ＧＤＰの持っている二つ目の意味を説明したものとして、表２－１を見てください。これは、世界の主要国が世界経済に占めるシェア（割合）をあらわしたものです。各国の経済規模がそれぞれの国のＧＤＰであらわされているとすれば、それをすべて足し合わせれば世界全体のＧＤＰになるはずです。世界全体をベー

用　語　解　説

GDP

GDP（国内総生産）は、Gross Domestic Product の略です。1年間に一国内で生み出される付加価値の総計をあらわしています。付加価値とは何でしょうか。たとえば、ある自動車メーカーにとっての付加価値とは、そのメーカーで1年間に生産された自動車の総価値から、その生産のために外部から購入した原材料費を引いたもののことです。これを、この自動車メーカーの中で新たに生み出されたもの（付加価値）と考えるのです。

自動車メーカーで生み出された付加価値は、労働者の賃金、土地の賃料、設備のリース料、税金、そして企業の利益などになります。GDP とは経済全体の付加価値のことで、各企業などで生み出された付加価値をすべて足したものということになります。

企業レベルなどの付加価値と同じく、経済全体の付加価値である GDP についても、賃金、地代、リース料、税金、利潤などに分類することが可能となります。本文中でも述べたように、日本の GDP はおおよそ500兆円（2003年）という規模ですが、それはいろいろな産業によって生み出された付加価値の和という生産価値の面と、賃金・地代・利潤などの形でいろいろなところに分配される所得という面の2つの面を持っています。

そのようにして生み出された付加価値は、家計（消費）、企業（投資）、政府（政府支出）、海外（純輸出）のどこかで利用されることになります。つまり、GDP は「消費＋投資＋政府支出＋純輸出」というような支出の面から捉えることもできます。このように、GDP とは1年間に1国の中で行われた生産であり、それによって生み出された所得であり、そして消費や投資などに使われた支出でもあるのです。

表２－１　世界の GDP（名目、構成比）

（%）

国・地域名（数）	1997	1998	1999	2000	2001
1.　北アメリカ					
アメリカ	28.1	29.8	30.5	31.7	33.0
カナダ	2.1	2.1	2.2	2.3	2.3
2.　中南米計(33)	6.8	6.8	5.9	6.3	6.2
メキシコ	1.4	1.4	1.6	1.9	2.0
ブラジル	2.7	2.7	1.8	1.9	1.6
3.　ヨーロッパ計(38)	30.9	32.1	31.1	28.1	28.7
西欧(23)	29.6	30.7	29.7	26.8	27.3
ドイツ	7.2	7.3	7.0	6.0	6.0
フランス	4.8	5.0	4.8	4.2	4.3
イギリス	4.5	4.9	4.8	4.6	4.7
イタリア	4.0	4.1	3.9	3.5	3.6
中東欧(15)	1.3	1.4	1.4	1.3	1.5
4.　CIS 諸国計(12)	1.9	1.3	1.0	1.1	1.4
ロシア	1.5	1.0	0.6	0.8	1.0
5.　アジア計(24)	24.1	21.8	23.7	24.6	23.0
日本	14.7	13.5	14.9	15.4	13.6
中国	3.1	3.2	3.3	3.5	3.8
韓国	1.6	1.1	1.3	1.5	1.4
香港	0.6	0.6	0.5	0.5	0.5
シンガポール	0.3	0.3	0.3	0.3	0.3
インドネシア	0.7	0.3	0.5	0.5	0.5
タイ	0.5	0.4	0.4	0.4	0.4
マレーシア	0.3	0.2	0.3	0.3	0.3
フィリピン	0.3	0.2	0.3	0.2	0.2
インド	1.4	1.4	1.5	1.5	1.6
6.　オセアニア計(12)	1.7	1.5	1.6	1.4	1.4
オーストラリア	1.4	1.3	1.3	1.3	1.2
7.　中東計(21)	3.2	3.2	2.9	3.2	2.9
8.　アフリカ計(47)	1.1	1.1	1.0	1.0	1.0
9.　その他の地域計(19)	0.2	0.3	0.2	0.3	0.3
世界の国・地域計(208)　（%）	100.0	100.0	100.0	100.0	100.0
（10億ドル）	29378.7	29216.3	30194.9	30966.1	30537.6

（参考）　　（%）

地域名（数）	1997	1998	1999	2000	2001
主要先進７カ国(7)	65.4	66.7	68.0	67.7	67.4
OECD 加盟国(30)	80.6	81.7	83.2	82.4	82.3
EU15(15)	28.1	29.2	28.3	25.4	25.8
北東アジア(3；中国、韓国、香港)	5.3	4.9	5.2	5.5	5.7
参考：台湾／世界合計	1.0	0.9	1.0	1.0	0.9
ASEAN (5)	2.2	1.5	1.7	1.7	1.7

（注）分母の世界合計は WDI の積み上げ合計（台湾等、WDI に掲載されていない国・地域は含まない）

（原出所）世界銀行 *World Development Indicators*（WDI）、台湾行政院「国民経済動向統計季報」

（出所）内閣府『海外経済データ－月次アップデート－』2003年10月

スに計算すれば、それぞれの国のシェアが計算できるはずです。

　各国のシェアを見ると、アメリカは二二・〇%、ヨーロッパは二八・七%、日本は一三・六%、中国は三・八%であることがわかります。もちろん、GDPの大きさだけでその国の力を測ることはできません。あくまでも目安ではありますが、GDPの大きさを比べることによって各国の経済力の強さを簡単な形で測ることができるわけです。たとえば、日本のGDPは、イタリア・フランス・ドイツの三カ国のGDPを足し合わせたものと同じくらいの規模なのです。

　第三の見方として、各国のGDPをその国の人口で割った数字を見てみましょう（表2―2）。これを「一人当たりGDP」といいます。その国の国民一人当たりでどの程度の生産が行われているかを示したものです。

　一人当たりのGDPはその国の国民の豊かさを示す指標として使われることが多く、日本やアメリカでは三万ドルを超える規模になっています。他方、バングラデシュやインド、あるいはアフリカの多くの国は、五〇〇ドル以下という非常に小さな規模になっています。先進国と発展途上国の所得の格差が見られます。

　ちなみに韓国（大韓民国）と北朝鮮（朝鮮民主主義人民共和国）の一人当たりGDPを比べてみると、七〇年には北朝鮮が韓国よりも高くなっています（この数字を信じるかどうかは別の話ですが)。つまり、この時期には北朝鮮と韓国は経済的に拮抗していたというべきなのか、韓国は当時はまだそれほど貧しかったということなのかということだと思います。

現在はいうまでもなく、韓国の一人当たりのGDPはおよそ九〇〇〇ドル、北朝鮮は(情報が乏しいので正確な数字をとるのは非常に難しいのですが)、多くの餓死者が出ているということを考えると、一〇〇ドルから二〇〇ドル程度と考えたほうがいいかもしれません。こうしたところにも、この三十年間の朝鮮半島の、北と南の国の経済展開の大きな違いを読み取ることができるのではないでしょうか。

表2－2　1人当たりGDP

(2001年、単位：ドル)

ノルウェー	36,921
アメリカ	35,280
スイス	34,318
日本	32,610
デンマーク	29,915
イギリス	24,219
オランダ	23,759
スウェーデン	23,575
オーストリア	23,277
フィンランド	23,241
ドイツ	22,431
カナダ	22,330
ベルギー	22,292
フランス	22,125
オーストラリア	19,006
イタリア	18,804
スペイン	14,156
ギリシャ	11,054
韓国	8,925
アルゼンチン	7,164
メキシコ	6,215
ポーランド	4,566
ブラジル	2,915
南アフリカ	2,622
トルコ	2,231
ロシア連邦	2,141
コロンビア	1,917
タイ	1,874
エジプト	1,510
中国(香港を除く)	911
スリランカ	851
インドネシア	695
インド	462
ケニア	371
ルワンダ	196
エチオピア	95

(出所) The World Bank, *World Development Indicators,* 2003

(2)「名目」と「実質」に要注意

ＧＤＰという経済指標を少し乱暴な形で説明してきましたが、実際のＧＤＰの数字を見るときにはもう少し注意が必要です。それは名目と実質という区別をしなければいけないからです。名目とは、簡単にいうと物価の動きも含んだ数字であり、実質というのは物価の動きを除いた実際の生産などの動きをあらわしています。

具体的な例で考えてみましょう。一九八〇年代にブラジルやアルゼンチンといった南米の国々は、毎年、数百％から一〇〇〇％を超えるようなインフレに悩まされてきました。つまり、物価が一年間に何十倍にも何百倍にも膨れ上がっているわけです。こうした国では、ＧＤＰも何十倍、何百倍にも膨れ上がっていることがわかると思います。物価が上がっていきますから、生産が変化しなくてもＧＤＰは増えていくのです。これが名目ＧＤＰの動きです。

しかし、そんなことでＧＤＰが増えてもほとんど意味がありません。したがって、多くの人にとって関心があるのは、物価が上がった分を除いた実際の生産がどれだけ増えているかだと思います。物価の動きを除いた生産の動きを見るための指標が、実質ＧＤＰと呼ばれている概念です。

統計的に名目ＧＤＰと実質ＧＤＰを計算するためには、多少テクニカルな議論が必要です。名目ＧＤＰは、単純にその国の一年間の生産額（正確には付加価値額）を足すことによって求められますが、実質ＧＤＰはその中に含まれる物価の動きを除くため、新たな年のＧＤＰを計算するときには、基準となる年の財やサービスの価格を使うことにより、物価の動きを排除しようとするわけです。

読者の皆さんは、ここで統計的作業を深く学ぶ必要はありませんが、実際に新聞や書籍等でＧＤＰのデータが出てきたときは、それが名目なのか実質なのかを常に意識する必要がありますす。名目ＧＤＰであれば物価の動きも含まれているし、実質ＧＤＰであれば物価の動きを調整した数字であると考えてください。

非常に大ざっぱな関係式を書けば、実質ＧＤＰは名目ＧＤＰを物価で割ったものとしてあらわせます。ここでいう物価は物価指数をあらわしています。物価指数についてはまた後で述べますが、ここでは、通常、ＧＤＰデフレーターと呼ばれる（総合）物価指数を指します。

2　ＧＤＰを分解してみよう

(1)　何に使われているかという視点

ＧＤＰをもう少し理解するために、どのような構成項目からなっているのかを見てみましょう（図2－2）。ＧＤＰは一年間に生み出された財やサービスのことで、いろいろな形で利用

図2－2　需要項目別実質GDPの推移(1970～2001年)

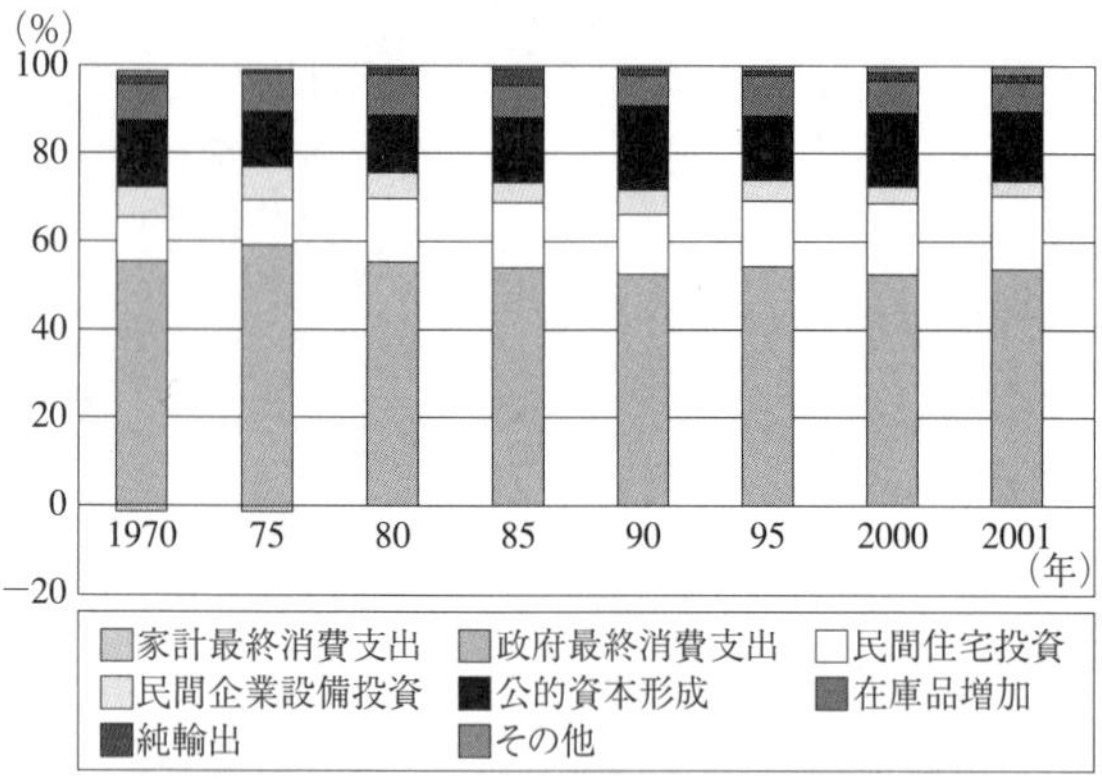

（出所）内閣府経済社会総合研究所編『経済要覧』平成15年（2003)、平成13年版（2001)

GDPは個別の需要項目に分解することができる。本文中に説明したように、需要主体は家計・企業・政府・海外部門の4つに分けられるので、それぞれの需要項目として、消費、投資、政府支出、純輸出（輸出－輸入）というように分解できる。この図ではそれをもう少し細かく分類している。家計最終消費支出と民間住宅投資は家計が主にかかわる支出、民間企業設備投資と在庫品増加は企業部門にかかわる支出、政府最終消費支出と公的資本形成は政府部門がかかわる支出、純輸出は海外がかかわる支出である。

されていきます。通常、GDPの利用の構成項目は、次の四つに分けられます。すなわち、①消費、②投資、③政府支出、④純輸出（輸出－輸入）です。

消費は、家計によって行われる財やサービスへの支出。投資は、企業部門の、設備投資や研究開発投資のために行われる財やサービスへの支出。政府支出は、政府活動の中で行われる財やサービスの購入や、公共投資のための財やサービスの購入。輸出は、海外に対して提供される財やサービス、輸入は海外から入ってくる財やサービスと考えればいいと思います。

図2－2のように、GDPを分解する背景には、マクロの経済を次の四つの部門に分けて考えるという見方があります。すなわち経済は、家計部門、企業部門、政府部門、海外の四つの分野で構成されていると考えるわけです。それぞれの部門が生産や支出の活動を行いますが、家計部門の支出が消費、企業部門の支出が投資、政府部門の支出が政府支出、そして海外とのやりとりが輸出あるいは輸入になります。こうしたGDPのさまざまな構成項目が、経済全体の動きに大きな影響を持つことは容易に理解できると思います。

たとえば、家計部門による消費が好調であれば、財、サービスがたくさん売れるので、企業部門もそれに応じて生産や投資を拡大させようとするでしょう。生産や投資の拡大が経済を活性化させ、雇用増大にもつながると期待できるので、それが国民の所得を高めて、さらに消費を増やしていくことにつながります。消費の増加は、投資や雇用の拡大を通じて、結果的に経済全体のGDPの規模を拡大していくことになります。

投資についても同じようなことがいえます。何らかの理由で投資が増えれば、企業部門からの財・サービスの需要が拡大し、生産や雇用の増大につながります。それが結果的に消費や投資のさらなる拡大を通じてGDPの拡大につながっていくことが、期待されるわけです。

このように個々の経済項目の拡大や縮小は、経済全体のＧＤＰを拡大させたり縮小させたりする原因となることがわかります。マクロ経済学の非常に重要な点は、個々の項目がどのような要因で変化をするのか、その変化によってＧＤＰがどのように影響を受けるのかを分析することにあります。

　将来の経済成長や景気の動きを予想する際にも、ＧＤＰだけでなく、構成項目である、消費、投資、政府

引っ張られて何とか低い水準を維持しているということです。バブル崩壊後の景気低迷の中で財政政策によって景気を刺激しようとしても、なかなか成長率が上がらなかったことが読み取れます。

実質GDP成長率に対する需要別寄与度とGDPデフレーター上昇率の推移（年度）

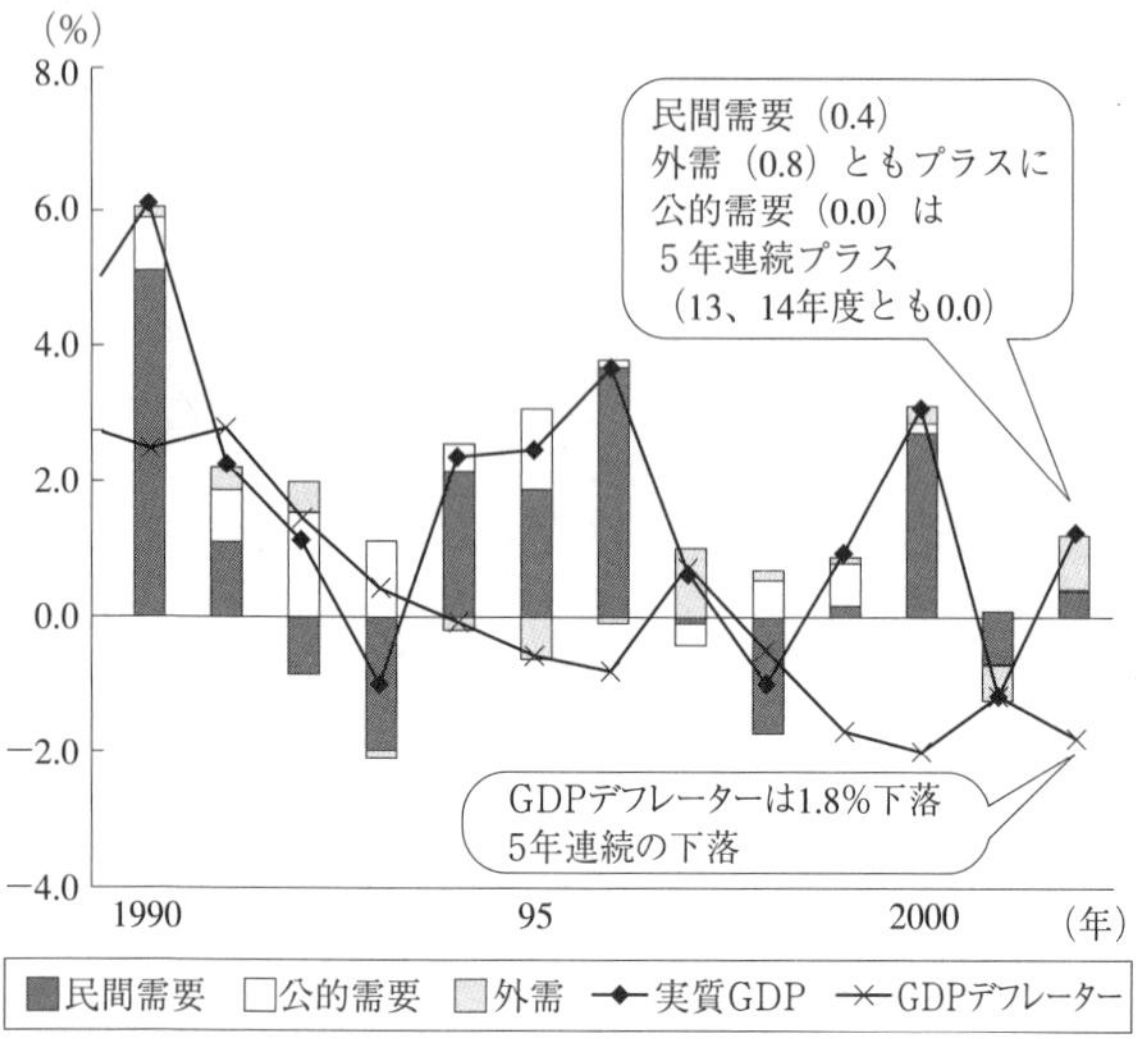

支出、あるいは純輸出がどのように変化していくのかを見て、それらを集計することによって、GDPの動きについてさらに突っ込んだ見方をすることができるのです。

(2) 消費――最も巨大な支出

今触れた四つの項目について、もう少し詳しく説明してみましょう。まず第一に消費です。これは先程述べたように、家計部門によって行われている財やサー

用　語　解　説

寄与度

参考までに、代表的な項目を使って GDP の動きを見るための一つの手法として、寄与度について説明してみたいと思います。「経済財政白書」などによく出てくる寄与度というのは、実際の経済の成長率が２％であったときに、それがどのような項目によって引っ張られているのかを見るための分析手法です。２％の経済成長は、消費、投資、政府支出、純輸出（純輸出というのは、輸出から輸入を引いたもので、輸出と輸入をまとめて見るための指標と考えてください）の項目に分解され、各項目の数値が、２％という全体の経済成長率にどの程度寄与したかをあらわしているわけです。図はこうした寄与度への分解を非常に単純化して図にあらわしたもので、外需（純輸出）、公的需要（政府最終消費や公的資本形成）、民間需要（家計消費や企業による投資）の項目に分解して、経済成長率への寄与度の推移をあらわしたものです。実際のマクロ経済の動きを見るための GDP は、それぞれの項目にさらに分けると、より詳しい分析を見られることがわかります。この図から読み取れることは、バブルが崩壊した以降の1990年代は経済成長率が非常に低いだけではなく、その成長は公的需要に

ビスに対する需要です。マクロ経済の指標は、通常は一年間に行われた経済活動を合計してあらわされるので、この場合の消費というのは、一年間を通じて行われた家計による財・サービスに対する支出と考えればいいと思います。

消費の動きはマクロ経済の中で最も重要なものの一つです。それは、消費のＧＤＰに占めるシェアがどの国でも大きいからです。58ページの図2

用　語　解　説

フローとストック

経済学の議論に出てくるさまざまな指標（経済変数）はフローとストックに分類することができます。1年間に行われた経済活動を全部足し合わせた指標のことを一般的にフローといいます。また、ある時点における大きさをあらわした数字はストックです。比喩的な例を出せば、1年間に琵琶湖に落ちる雨の量はフローで、現在の琵琶湖の水の量はストックです。1年間の生産量をあらわしたGDP、消費、貿易の収支、政府支出などはいずれもフローで、貨幣量、不動産総額、預金量などはストックです。フローとストックを区別することは、マクロ経済の問題を考えるときには重要ですが、その区別は以下の話を読み進んでいくうちに次第にわかってくると思います。

フロー

GDP、消費支出、投資、政府支出、政府財政赤字、経常収支、資本収支、総支出

ストック

マネーサプライ（貨幣供給量）、政府債務額、対外資産残高、資本総量、資産総額

図２－３　消費性向と貯蓄性向

$$消費性向 = \frac{消費額}{(可処分)所得}$$

$$貯蓄性向 = \frac{貯蓄額}{(可処分)所得}$$

$$消費性向 + 貯蓄性向 = 1$$

消費性向は、可処分所得（所得から税金などを引いた最終的に使える所得）のうちの消費額の割合を示す。貯蓄性向とは貯蓄額の割合を示す。両者を足すと１になる。これらの値はその国の消費や貯蓄の度合いをあらわす指標となる。たとえば、日本はアメリカに比べて消費性向が低い（貯蓄性向が高い）。

－２からも確認できるように、日本の消費はＧＤＰのおよそ六〇％ぐらいを占めています。消費の動きはその国の経済活動に非常に大きな意味を持っています。

消費の動きを見るための重要な指標として、消費額を所得で割った指標である消費性向というのがよく使われます。消費性向とは、より正確には家計部門の可処分所得で家計部門の消費を割ったものです。

消費性向が１に近いときには、消費が非常に強いということです。通常、１から消費性向を引いたものを貯蓄性向といい、貯蓄性向がゼロに近い状態、つまり消費性向が１に近い状態では、貯蓄はほとんど行われていないわけです。これに対して、消費性向が小さくなっているほど消費の力は弱く、その分だけ貯蓄の力が強いということです。

現在の世界の状況を見ると、アメリカは消費性向が非常に高く、自分たちの所得を超えるような高い消費

表2－3　マクロ経済の基本的な経済指標

GDP（国内総生産）	経済の生産規模や所得規模を示す
物価指数・物価上昇率	物価の水準やその上昇率を示す
成長率	経済の規模の拡大の程度を示す
消　費	家計による消費のための総支出額
民間設備投資	企業部門による投資支出額
政府支出	政府の支出規模（政府消費と公共投資が含まれる）
輸　出	日本から海外への財の輸出
輸　入	日本の海外からの財の輸入
貿易収支・経常収支	海外との財やサービスのやりとりの収支
利子率（金利）	金融資産の収益や貸し借りの金利をあらわす
失業率	雇用の状況を示す
マネーサプライ（貨幣供給量）	金融市場の状況を示す
為替レート	自国通貨と外国通貨の交換比率
政府財政収支	政府の収入と支出の関係をあらわす

をしていることを示しています。一方、日本は、これまで非常に高い貯蓄性向、つまり低い消費性向を持っていることで知られてきました。消費性向が低い、つまり貯蓄性向が高いということは、それだけ多くの資金を生み出すことになるわけですが、同時に、消費を通じた経済の需要が非常に弱いということでもあります。

来るべき高齢社会が日本の消費性向を上げていく（貯蓄性向を下げていく）だろうといわれています。高齢者は過去の蓄えを切り崩して生活していく人たちですから、消費性向はどうしても高くなる傾向にあり、そういう意味では今後、高齢化に伴って日本の消費性向がどのように動いていくのかは関心の高いところです。

(3) 投資――最も激しく変化

先に、ＧＤＰの構成項目の中で一番大きな項目は消費だといいましたが、一番激しい動きを示すのは投資です。投資の動きが、実は景気の動きに一番早く、直接的な影響を及ぼすのです。

投資というのは正確には、企業が行う在庫投資（生産の積み増し）、設備投資、研究開発投資などを総称したものです。一般的に、諸々の投資活動が活発化すれば、財やサービスに対する需要が増え、景気刺激要因になると考えられています。それだけではなく、設備投資や研究開発投資が増えれば、企業の長期的な生産性や技術開発力を高めるので、長期的な経済成長の原動力になるともいわれています。

投資の動向は経済を見る上で非常に重要ですが、企業の資金調達などを通じて、利子率や為替レートなどの金融市場の要因に非常に大きな影響を受けます。簡単にいえば、利子率が低くなって資金調達がしやすくなるほど投資も刺激され、逆に利子率が上がってくると投資が抑制されるという傾向が見られます。金融政策とは、利子率に影響を及ぼすことを通じて投資に影響を及ぼし、その結果として景気をコントロールすることだと理解することもできます。

(4) 政府支出――景気の調整弁

第三の政府支出は、政府が行う活動に伴う財やサービスの需要で、政府はさまざまな活動を行う過程で財やサービスを需要します。たとえば、公立学校で教育サービスを提供すれば、教員という人材の提供するサービスを需要するだけでなく、学校の設備や、さまざまな財への支出につながります。あるいは公共投資で道路や空港を建設すれば、建設サービスや、それに伴う建設資材に対する需要という形になります。

現代社会、とりわけ先進工業国においては、政府活動の規模はますます大きくなり、政府支出の規模も経済を考える上では非常に重要な役割を担っています。政府は政府サービスなど、政府の活動を継続するだけではなく、その規模を拡大させたり、あるいは縮小させたりして、景気に対する影響を及ぼそうとします。これを財政政策といいます。簡単にいうと、景気を刺激するためには公共投資のような支出を増やすことが有効であると考えられるし、景気が逼迫しているときには、公共投資を抑制することによって景気の過熱を防ぐということが期待されます。

(5) 輸出・輸入——二つの顔

第四に、輸出や輸入も経済にとっては非常に重要な構成項目です。今や海外との貿易は、一国のマクロ経済を考える上で非常に重要な意味を持っています。マクロ経済的に見るときには、輸出と輸入を個別に捉えるよりは、輸出から輸入を引いた純輸出という概念で見るほうがわかりやすいと思います。純輸出が増えているときには、海外に対しての財やサービスの販売がネットで増えているわけですから、GDPの拡大に貢献する要因になります。逆に純輸出が減っているとき、つまり輸出に比べて輸入の増加が大きいときには、その分だけ海外から入ってくる財やサービスが国内供給者の需要を奪うことになるので、GDPの抑制要因になります。

ただ、こういうことから「輸出は好ましいが輸入は好ましくない」というような、重商主義的な見方につなげてはいけないと思います。今の議論はあくまでも生産側から見た議論であり、これを需要側から見れば、輸出は国内で利用できるものが海外に漏れていってしまうことであるし、輸入は国内の消費に使えるものが海外から入ってくるという意味では好ましい面もありますから、どちらが好ましいかという議論を安易にしてはいけないのです。

3　需要と供給で考える

(1)　マクロ経済の二つの顔

これまではGDPを支出項目に分解して見てきましたが、実はこれはGDPの一面を見たにすぎません。この本の中で何度も出てくるように、経済学の最も基本的な考え方の一つは、需要と供給という両面から経済現象を捉えることが重要であるということです。マクロ経済を見

図2－4　総需要曲線と総供給曲線

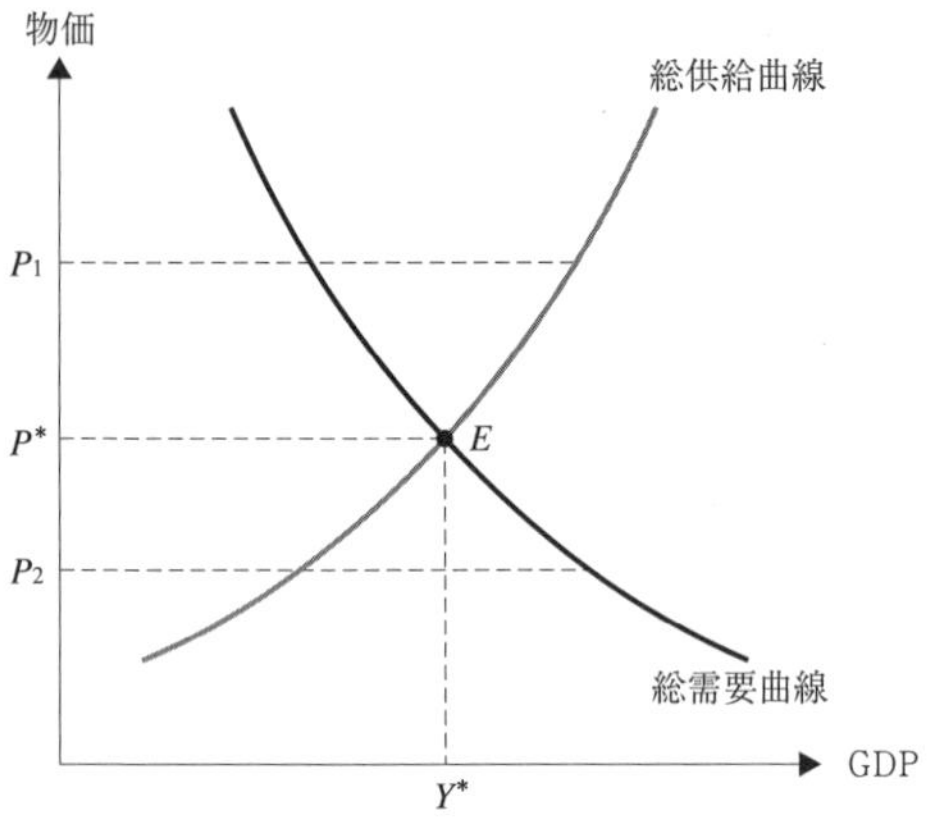

GDPは需要と供給の両面から見ることができる。総需要は、物価が低いほど大きくなり、総供給は物価が高くなるほど大きくなる傾向があることをこの図は示している。このような傾向の背景にあるメカニズムまで詳しく説明することはスペースの関係上できないが、普通の需要・供給曲線との類推で考えればよいだろう。最終的には、経済は需要と供給が等しくなる図の *E* 点に落ち着くと考えられる。そこでは物価水準はP^*に、GDPはY^*になる。

る上でもこれは非常に重要で、図2－4に、よく使われる「総需要曲線と総供給曲線」が示されています。これを使いながら、GDPの需要面と供給面を考えてみましょう。

消費や投資、あるいは政府支出という需要が生まれない限り、生産につながりません。つまり、需要としての消費や投資、政府支出や純輸出というものがあるから、初めてGDPが生まれてくるわけです。景気低迷の時期などには、特に需要が不足することの深刻さを感じる人は少なくないと思いますが、需要が着実にあるということがGDPが確保される上で重要な役割を果たしているのです。

しかし、供給も同時に非常に重要であることはいうまでもありません。いくら消費や投資というような形で需要があっても、それを実際に生産できる供給能力がなければ、生産は生まれないからです。実際の生産は、資本、労働、エネルギー、土地などの生産要素や生産資源を利用して、生産技術を活用して行われます。つまり、生産要素、生産資源の利用可能量や、技術の水準がGDPを考える上で非常に重要な意味があるのです。

図に示した「総需要曲線と総供給曲線」は、こうしたことを分析するための簡単な指標です。縦軸には物価水準、横軸には需要から見たGDP（これが総需要）、および供給から見たGDP（これが総供給）の二つがとられています。ここで重要なのは、需要と供給が一致することによって初めてGDPが生まれてくるということです。

図では、二つの曲線の交点がそこをあらわしていますが、たとえばこれよりも少し高い物価水準P_1を見ると、供給に比べて需要が少なくなっていることがわかります。このようなときには、供給能力に比べて需要がはるかに少ないわけですから、生産したものが売れない、モノが売れないから生産が落ち込むという現象が見られることになります。この図では、そうしたときには物価が次第に低下していくことを示しています。需要不足でモノが売れないときには物価は低下傾向を示すということは、最近のデフレからもわかると思います。

他方、図のP_2と書かれているところでは、供給に比べて需要が大きくなっています。この場合には、供給能力を超えるような需要が経済に存在しているわけで、一般的には物価は上がっていくと考えられます。つまり、供給能力を超える需要があっても、それに見合う供給が出てこないので、結局、モノが不足し物価が上がっていくことによって調整するしかないわけです。現実の経済ではこういう調整が既に行われていて、中長期的には、供給能力と需要の量がちょうどバランスするところに経済が落ち着いていると考えることができます。

(2) インフレ、デフレを解明

実際のGDPは需要サイドと供給サイドの両方から決まってくるということを考えると、そこからさらに議論を広げて、インフレ、デフレ、あるいは失業といった現象を分析することができます。先程議論したように、供給能力を超えるような需要が存在するときには、モノ不足や企業の過剰な生産活動が起こることを通じて、物価や賃金が上昇していきます。これが一般的にはインフレを引き起こすと考えられます。他方で、供給に比べて需要が大幅に少ないような状況では、モノが余って物価や賃金が下がり、場合によっては失業が発生するような状況が起こるということがわかります。

用　語　解　説

成長方程式

61ページで需要サイドのGDPの動きを見る手法として寄与度の話をしましたが、供給サイドからもGDPを見る方法があって、これを成長方程式と呼びます。成長方程式は、供給サイドから見て日本のGDPがどの程度のスピードで拡大できるかということを見るための手法で、一般的には次のようにあらわすことができます。

経済成長率＝技術進歩率＋資本の分配率×資本の増加率
＋労働の分配率×労働の増加率＋……

この式は、資本や労働や、あるいはその他の生産要素がどの程度のスピードで増加するかということと、技術進歩がどの程度あるかということから、経済成長の動きを見るもので、これを使って、実際に供給能力としてどの程度GDPの成長が可能であるかを推計できます。

表は、日本の経済成長率が労働、IT以外の資本設備、IT設備、そして技術進歩（全要素生産性）にどのように分解できるか示したものです。これは過去の成長の動きをこうした要素に分解したものですが、同様の手法で将来の成長の予測を行うことも可能なのです。

実質GDP成長率に対する寄与度（2000年）

（%）

実質GDP成長率	1.4
（寄与度）	
労働投入	−0.4
非IT資本投入	0.5
IT資本投入	0.8
全要素生産性	0.5

（出所）内閣府『国民経済計算年報』、総務省『労働力調査年報』『産業連関表』

現実の経済では総需要曲線や総供給曲線を描くことは容易ではありませんが、データを用いて需要と供給の量を比べてみるという試みは行われています。潜在成長率は、供給能力、つまり日本経済に存在する資本や労働や技術水準から想定されるGDPの動き、それに対して実際の成長率は、需要によって実際に実現したGDPの動きをあらわしています。潜在成長率が実際の成長率よりも高くなっているときには、供給が需要より多い状態になっていると考えられ、この差のことをデフレギャップといいます。逆転しているときには、供給よりも需要が多い状態になっていて、これをインフレギャップと呼びます。高度成長期のように急激に経済成長をしているときには、インフレギャップが存在する時期が多かったのに対して、最近のようなデフレ状況の下では、デフレギャップが非常に大きくなっています。

4 マクロ経済の鳥瞰図

(1) 需要と供給はどのようにして決まるか

今までの話を整理する意味も含めて、簡単な概念図（図2－5）を使いながら、マクロ経済の構造をもう一度描いてみましょう。

この図に描いたように、実際の経済の動き、特にGDPの動きは、需要サイドと供給サイド

図2－5　マクロ経済における需要サイドと供給サイド

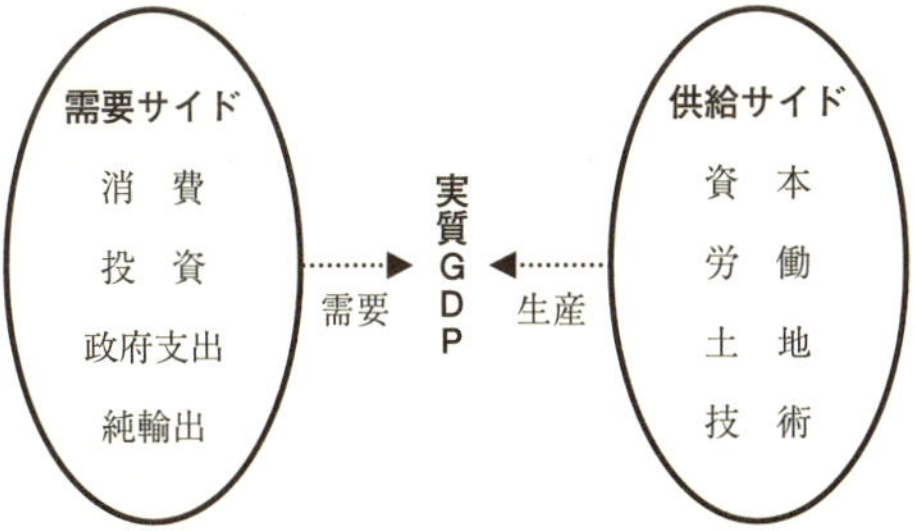

マクロ経済は、需要サイドと供給サイドの両方から見る必要がある。この2つが等しくなるように物価や実質GDPなどが決まる。

の両方の相互作用の中で決まってきます。先程の総需要曲線と総供給曲線の議論からもわかるように、需要と供給がほぼ一致するようなところに、物価の調整を通じて、ＧＤＰは決まってくるわけです。そして需要と供給はさまざまな要因の影響を受けます。

まず需要サイドの側から見ていきましょう。需要は、消費や投資、政府支出、純輸出といった個々の構成項目の動きによって決まると考えられます。具体的に消費、投資、政府支出、純輸出といった構成項目は、さまざまな要因の影響を受けます。ここで、いくつか例を挙げておきたいと思います。

たとえば、投資には利子率のような金融指標が大きな影響を及ぼします。投資を行う企業は資金を銀行からの借り入れなどで調達しますが、利子率が高ければ投資意欲が殺がれるからです。利子率を通じて投資に影響を及ぼすという意味では、金融市場の存在は非常に重要であり、利子率のような指標を通じて金融市場と財の需要は結びつきます（81ページの図2－8を参照）。また、政府の支出額は、政策的な判断によって大きな影響を受けます。海外との間の貿易をあらわした純輸出も需要面の重要な決定項目ですが、為替レートの動きや、海外の国々の景気の動きといった外的な要因によって大きな影響を受けます。

このようにGDPの需要面は、国内の消費や投資の動きだけでなく、金融市場の動き、あるいは政府の政策のスタンス、海外の経済の動きによってさまざまな影響を受けます。

一方の供給サイドは、経済全体の生産能力によって決まります。それを決定するものは二つあります。一つは、労働や資本や土地といった生産要素がどれだけ利用可能であるかということです。これらの生産要素は固定的であるのではなく、たとえば労働というのは、人口がどのように増えていくのか、あるいは減っていくのかに影響を受けます。人口という頭数の問題だけでなく、一人ひとりの労働者がどれだけの能力を持つのか、つまり教育や技能の習得によっても大きな影響を受けます。資本は投資によって拡大していきます。過去に行われていた設備投資によって、資本の量は変化していきます。

さらに生産要素と並んでもう一つ、供給能力に影響を及ぼすものが技術水準です。企業による技術投資で生み出される新しい技術だけではなく、海外で生み出された技術や科学的な知識が国内に入ってくるという形を通じても影響を受けるわけです。このようにして供給の能力が決まり、供給と需要とのバランスの中で経済は決まっているわけです。

(2)　拡大と後退のサイクル

経済というのは複雑な形で相互に依存しているので、簡単に絵を描くことは難しいのですが、乱暴な言い方をすれば、短期的、つまり一年や二年の動きの中では、左側にある需要の項目がより重要になってくるでしょう。資本や労働の量、あるいは技術といった供給面の要素が短期に急速に変化することは考えられませんから、需要項目である消費、投資、政府支出、純輸出がどのように動くかが、経済の動きに大きな影響を及ぼすのです。

一般的には、これらの動きは循環的なものになる傾向が強く、消費や投資が拡大すれば、それが生産に刺激を与え、生産に刺激が与えられると雇用や所得を拡大させて、さらに消費や投資を増やすという相乗効果（これを乗数効果といいます）があります。相乗効果があるために、景気が拡大していくと、自律的にさらに経済を拡大していくという形の景気拡大のメカニズムが生まれます。

しかし、ある程度景気が拡大していくと、どこかで供給能力の限界にたどり着き、生産活動があまりにも活性化するために、労働力や資源の不足が起こったり、あるいはエネルギーの価格が上がったり、いろいろな形で需要に頭打ちが起こってきます。そこから、状況によっては

用　語　解　説

乗数効果

消費・投資・政府支出などの需要の拡大は、他の需要に波及効果を持っています。たとえば、政府が１兆円規模の公共投資を行ったとしましょう。道路や橋の建設などに１兆円を投じれば、それは経済にとって１兆円の需要拡大要因となります。工事労働者のサービスへの需要、コンクリートや鉄骨など資材の輸入などの形をとります。

ここで重要なのは、需要の拡大がこれにとどまらないことです。工事労働者の雇用が増えれば、彼らの所得が増加します。鉄骨やコンクリートの需要が増えれば、そうした資材を生産している企業やそこでの従業員の所得が増えます。

これらの所得増加は、一部は貯蓄として残されるとしても、多くは他の需要に回るはずです。

たとえば、工事労働者が所得を使って衣料品や食料品を購入すれば、それはこれらの商品にとって需要となります。これらの衣料品や食料品を販売している店の売り上げが伸びれば、その店の店員、あるいはそういう商品を供給している生産者の所得増となります。これがさらに追加的な需要増加をもたらすのです。

このように、一次的な需要増加→それに伴う所得増加→二次的な需要増加→二次的な所得増加→三次的な需要増加、というような波及効果が続きます。当初の１兆円の公共投資の増加は、最終的には数兆円規模の需要拡大に広がるのです。

このように波及的に需要が拡大していくことを、乗数効果といいます。たとえば、１兆円の公共投資の増加が、最終的に経済全体で５兆円の需要拡大につながったとすれば、乗数は５倍ということになります。

図２－６　景気循環と経済成長のイメージ

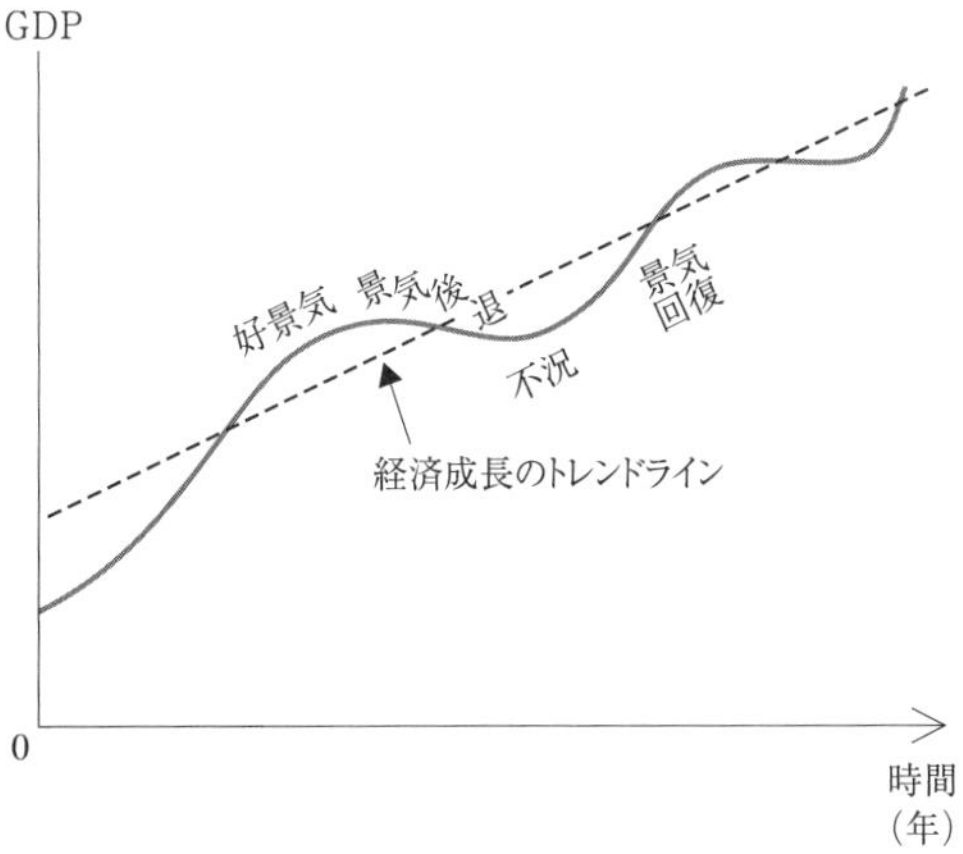

景気の失速が起こる可能性があります。今度は、それ売れ残りが生じることが生産の縮小を促し、それが雇用の削減をもたらし、需要の低下を招くということになってくると、これはまた、需要をだんだん減らし景気を悪化させていくことになります。

このように、経済というのは景気が拡大したり低迷したりするサイクルを描くことが多いのですが、これはどちらかというと、図２－５で示した左側の需要項目の流れの中で起こってくると考えられます。

経済をできるだけ安定化させるためには、需要項目に影響を及ぼすという意味で、財政政策や金融政策をどのように運営するかということが、経済政策にとって重要な意味を持ってきます。

一方で、供給側の項目は、経済のより長期的な展開を考える上で重要となります。長期的には労働量や資本の量、あるいは技術水準は大きく変わってくるので、これがどのようなペースで拡大していくかは、経済全体のGDPを決める上で重要な意味を持ってきます。ここが増えない限りは、いくら需要が活発化しても、経済のGDPに限界が出てきます。

そういう意味で、長期的な経済の成長のトレンド（これを経済成長あるいは経済成長率といいます）を考える上では、供給側の要因は非常に重要になってきます。どの程度のスピードで技術が進歩するのか、どの程度のスピードで投資が拡大していくのか、労働者の数がどの程度に増えていくのか、労働者の資質や能力、技能がどの程度蓄積していくのかといったことが、経済成長率を決めていくと考えられます。

5　マクロ経済をどうコントロールするか——財政金融政策の役割

以上説明したようなマクロ経済の鳥瞰図の中で動いていることを、もう少し具体的に理解してもらうために、ごく簡単な形で財政政策、あるいは金融政策のメカニズムについて説明しましょう。

まず金融政策は、中央銀行が金融市場に介入することで、利子率を上げたり下げたりする政策というふうに理解してください。ここではとりあえず、景気を拡大させる方向の政策として

図2－7　金融政策のメカニズム

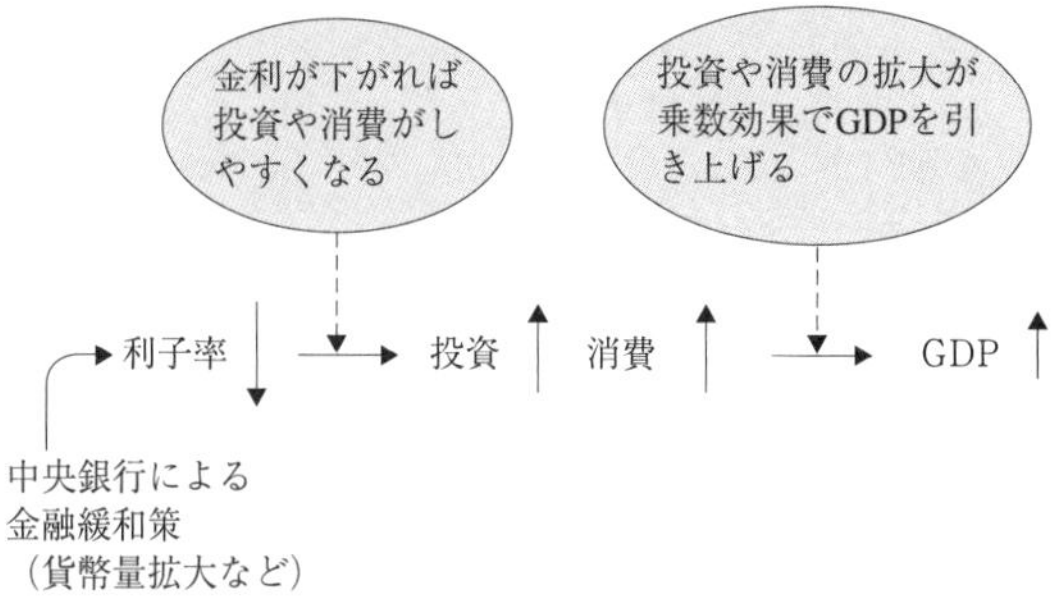
金利が下がれば
投資や消費がし
やすくなる
投資や消費の拡大が
乗数効果でGDPを引
き上げる
利子率
投資
消費
GDP
中央銀行による
金融緩和策
（貨幣量拡大など）

投資や消費は、利子率など金融市場の動きに大きな影響を受ける。金融政策は金融市場（たとえば銀行間の資金のやりとり）への資金の出し方を調整することで利子率などに影響を与え、それを通じて景気を安定化しようとするものだ。

の金融緩和政策について考えたいと思います。

中央銀行（日本の場合は日本銀行）は、金融市場に資金を出したり、吸い上げたりしながら、利子率に大きな影響を及ぼそうとします。先程も説明したように、利子率は企業の投資行動に大きな影響を及ぼします。

一般的に金融緩和をすると、次のようなメカニズムが働くといわれています（図2－7）。

金融緩和↓利子率低下↓投資の拡大・消費の拡大↓GDPの増大

つまり、金融緩和という金融政策は、利子率を下げることによって、投資や消費という項目を通じて、需要を拡大するという政策になります。このように金融市場に介入することによって、結果的に需要を増やしたり減らしたりすることができるとすれば、その限りにおいては金融政策はマクロ経済を動かす上で非常に大きな影響があると考えられます。

次に財政政策を考えてみましょう。財政政策の主要な手法は二つあります。一つは公共投資のような政府の支出を拡大することであり、もう一つは減税などを行って間接的に人々の需要を刺激するというものです。公共投資を行う場合も、あるいは減税を行う場合も、その分だけ政府の財源が必要になるので、それを補うために国債を発行して財源の補填を行う必要があります。

公共投資が増えるということは、政府の支出、つまり需要の一項目が増えることになります。政府の支出の増加は、土木・建設会社への需要が増えたり、建設資材の需要を増やすことを通じて、全体の需要を拡大させます。それによって雇用機会が増えたり、あるいは企業の利益が上がれば、それが所得を増やし、さらに人々の消費や投資の拡大につながることを通じて、追加的な需要の増加に至ることは十分起こり得るわけです。

こうした連鎖的な需要の増加を通じて、経済全体の需要が拡大し、ＧＤＰが増えるというのが、公共投資の増加によって期待される財政刺激効果です。

減税にも同じような効果が期待できます。税の軽減を通じて、民間経済主体の需要の支出を増やそうということです。減税にはいろいろなものがあります。たとえば所得税減税ということで、個人、あるいは家計に課されている所得税を軽減したとします。所得税の軽減の結果と

図2－8　マクロ経済の相互依存関係

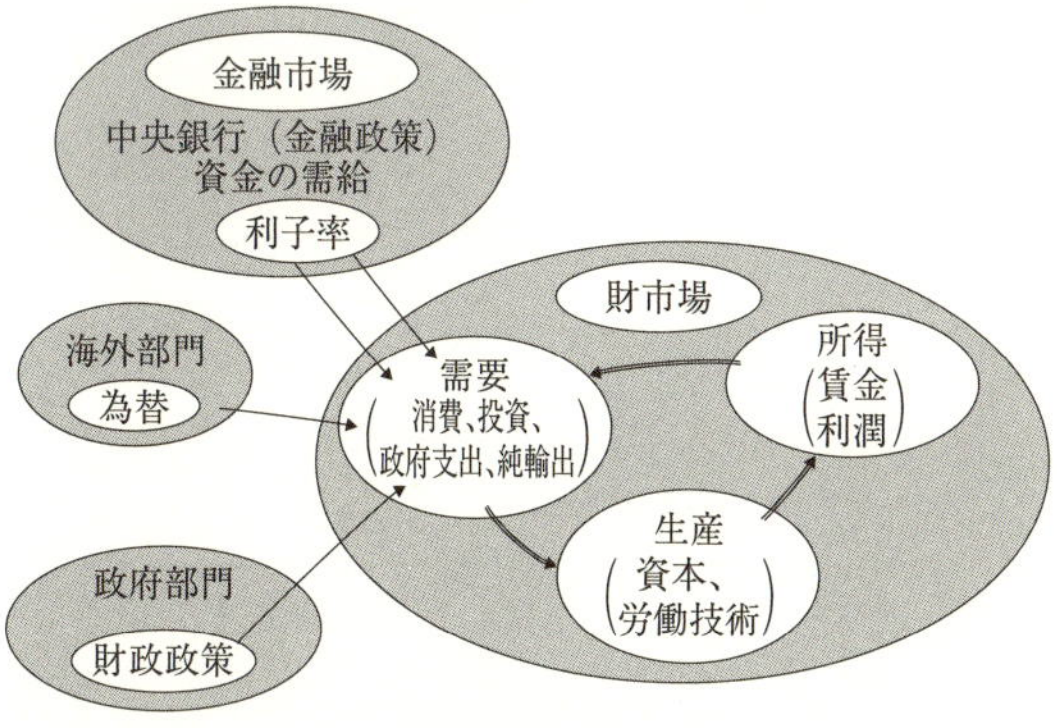

消費・投資・政府支出などの需要が拡大すれば、それが生産を刺激する。これは賃金や利潤などの所得の拡大につながり、さらなる需要を生み出している。

して、税を引いた残りの所得（これを可処分所得といいます）が増えることになります。つまり、とられる税金が減り、可処分所得が増えるのですから、これは一般的に人々の消費を拡大させる方向に働くでしょう。

企業に対する減税もあります。たとえば、企業が投資をしたときには税金が軽減されるというインセンティブを与えるような減税が考えられます。こうした減税政策がとられると、企業はより積極的に設備投資をしようとするかもしれません。それが結果的には企業の投資を拡大させて、これがさらに雇用や消費に影響を及ぼし、累積的に需要を増やします。

これまでの話からもわかるように、経済にはいくつかの重要な相互依存関係があり、その依存関係を知ることによって、GDPや生産がどのように拡大したり縮小したりするかということを理解できるようになります。図2－8には、こうした関係についてのいくつかの簡単な状況が図解されています。

［Ⅲ］

日本経済を変えた三つの分岐点——マクロの視点で考える

この章の目的は、日本経済の実際の経験について解説することです。マクロ経済の基礎知識として説明したⅡ章の内容を、より実態に即して理解してもらうことにあります。実際の経済を理解するためには、マクロ経済の基本的な枠組みだけではなく、私たちの生活に影響を及ぼす具体的な現象について観察する必要があります。その意味で、以下で取り上げる三つの事例（時期）は、マクロ経済についての理解を深めるとともに、日本経済のこの三十年の展開を把握する上でも有益であると思われます。

三つの転換点とは、まず、一九七三年の石油ショックや、変動相場制に移行した前後の日本経済の大きな変化。次に、八〇年代前半の、円安の下での日本の輸出の増加や、アメリカとの貿易摩擦と、それを受けた八五年以降の急速な円高の進展の影響。最後に、九〇年代初めの、バブルの崩壊による平成不況と、そこでの不良債権問題やデフレの展開です。

1　構造変化の原動力――石油ショックと変動相場制

Ⅰ章で述べたように、戦後の日本経済は、世界に類のない、急速かつ長期にわたる経済成長を実現しました。特に東京オリンピックが行われた一九六〇年代から七〇年代初めにかけては、高度経済成長期として知られ、成長率は毎年一〇％を超える高い水準でした。この時期には、目覚ましい勢いで日本中で道路や工場、ビルなどの建設が行われ、国民の所得も毎年確実に増加し、日の出の勢いで発展していきました。

高度経済成長からの大きな転換点となったのが、七三年です。この年には、国際的に石油が高騰する石油ショック、為替制度の固定相場制から変動相場制への移行、狂乱物価といわれる悪性のインフレの発生など、大きなマクロ経済の混乱がありました。こうしたことを転機に、日本の経済は新興工業国としての高度経済成長の体質から、輸出や、産業の高度化を実現する先進工業国の姿に次第に形を変えていきました。

(1)　石油ショックとは何だったのか

まず、石油ショックについて簡単に説明しましょう。石油は戦後日本にとって非常に重要なエネルギー源です。戦後日本の経済成長の中で、太平洋ベルト地帯から瀬戸内海を経て北九州に至るまでのいわゆる沿岸地域に、大型の鉄工所・石油コンビナート・造船所など、重化学工業の工場群が建設されていきます。石油や石炭、あるいは鉄鉱石などのエネルギーや天然資源の大半を海外に依存する日本は、海岸線に工場を設けることによって、輸送・搬送コストを減らし、生産された製品については港から国内外へ出荷することを可能にしたのです。六〇年代から七〇年代初めにかけて、世界の石油の価格は極めて低い水準にあり、石油を輸入に頼る日

図3－1　石油ショックのインパクト

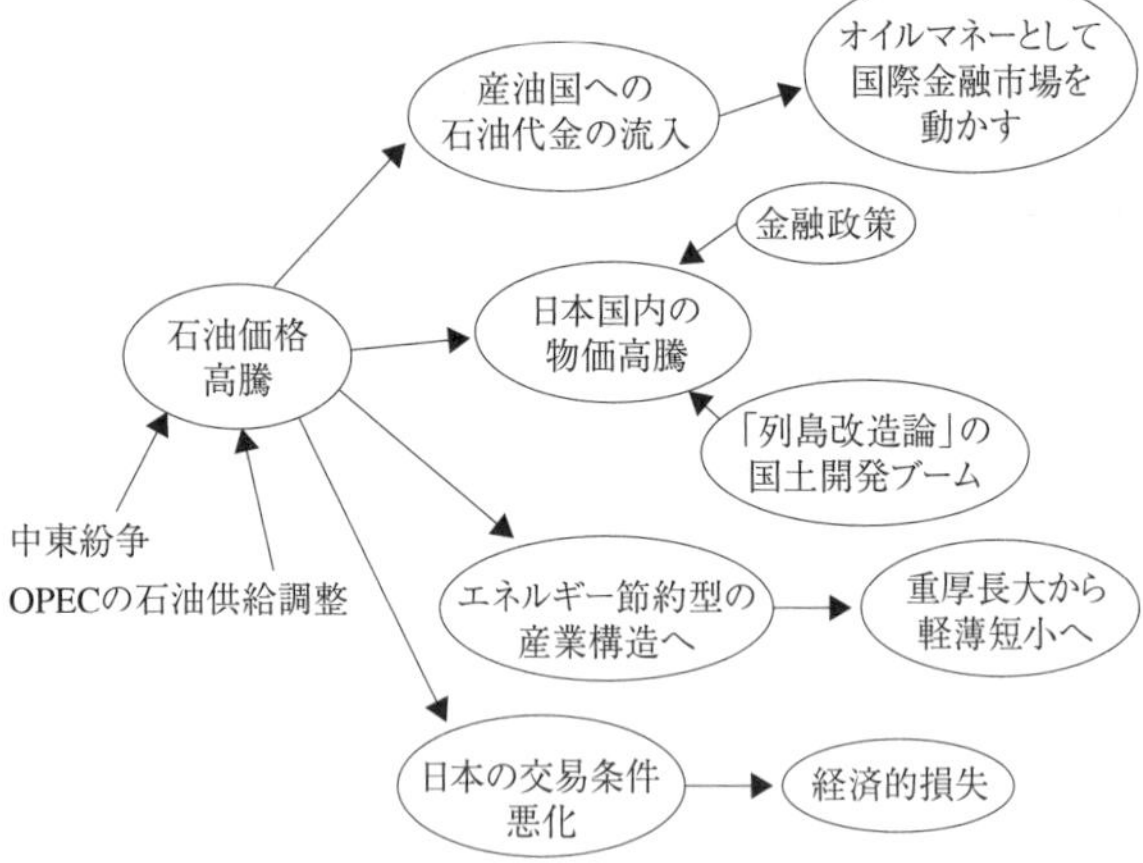

本にとっては経済繁栄の重要な要因となりました。

こうした世界の流れに大きな変化をもたらしたのが、七三年にイスラエルとアラブ諸国の間で起こった第四次中東戦争です。中東での紛争を通じて、石油供給に大きな不安が出てくる中で、サウジアラビアやイラクなどをはじめとした中東の産油国は、ＯＰＥＣ（石油輸出国機構）という組織を通じて、世界の石油産出量のコントロールを強める動きに出てきました。これが世界の石油価格を一気に引き上げる結果となったのです。

図３－２は、七〇年以降の国際的な石油市況の動きをグラフにしたものです。七三年の石油ショック前後に、石油価格が一気に十倍以上上がったことが読み取れます。ちなみにこの図で

図3－2　原油価格の推移

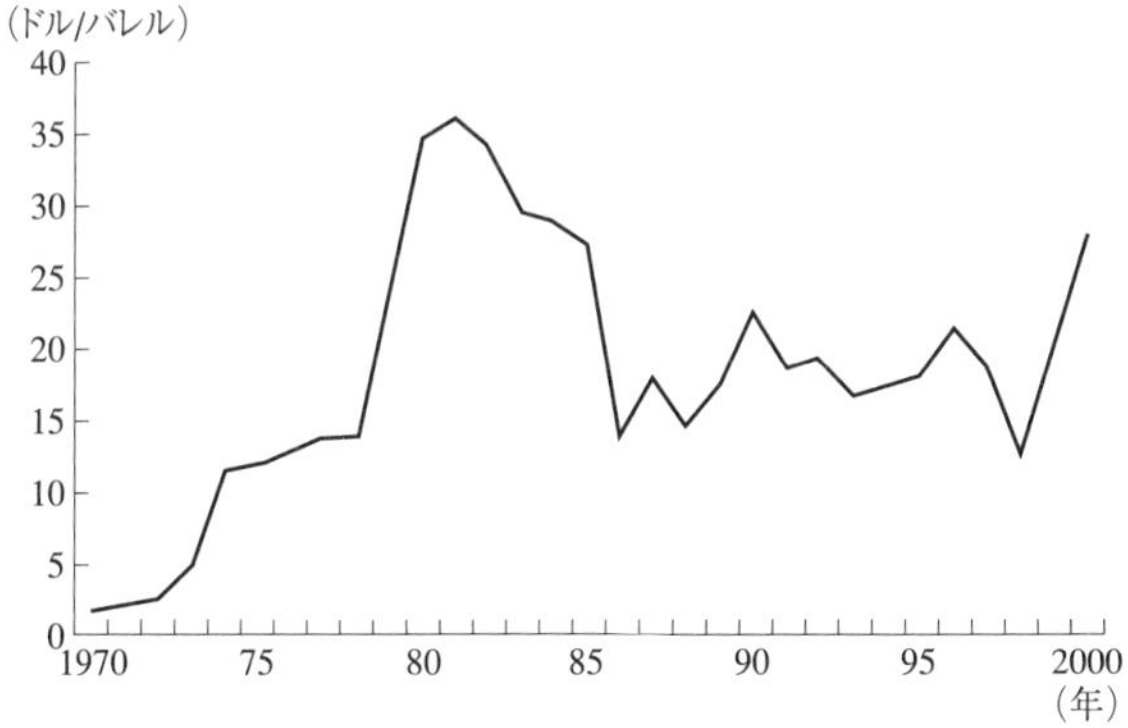

(出所) 内閣府『経済要覧』
(原出所) 財務省、原粗油輸入通関価格、円ベースの価格をドル換算。

は、七〇年代末にも石油価格の急騰が読み取れ、これを第二次石油ショックと呼びます。この七〇年代の二つの石油ショックを通じて、世界は石油価格が高い時代を迎えることになりました。

石油ショックは日本経済に大きな影響をもたらしました。高度経済成長を支えたのは、重厚長大産業と呼ばれる、鉄鋼、造船、石油化学などでしたが、これらの産業はエネルギー価格の上昇によって急激なコスト増に見舞われたのです。石油価格の急騰を受けて、日本では、いわゆる省エネという、エネルギーをできるだけ使わない方向への転換が起き、産業構造でいうと軽薄短小型の産業へ急速に転換していくことにつながりました。精密機械、エレクトロニクス、自動車などの比較的資源の利用も少ない、高技術の産業にシフトしていったのです。

図３－３　消費者物価指数の動き

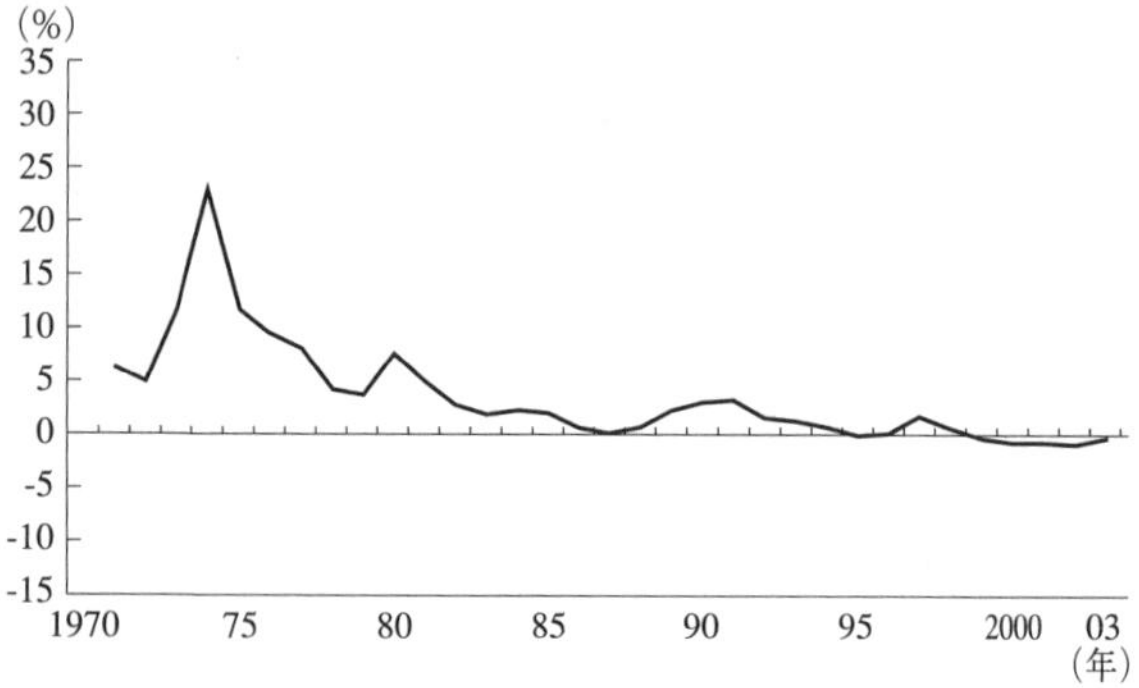

（出所）総務省統計局 HP、消費者物価指数 CPI「長期時系列データ　総合指数」

石油ショックはもう一つの大きな変化をもたらしました。消費者物価の上昇です。図３－３の七〇年代初めの消費者物価指数の動きを見ると、七三年には前年に比べて二〇％以上上昇するという、極めて異常なことが起きています。消費者物価指数は、物価の動きを捉えるための最も標準的な指標で、消費者が日々の生活の中で購入するさまざまな商品の価格の平均の動きをとったものです。

石油ショック、つまりエネルギー価格の上昇は、日本国内で生産されている財やサービスのコストを引き上げる要因となりました。さらに、国内で起きたその他の要因、たとえば「日本列島改造論」の名の下で、国内各地で行われていた積極的な国土開発プロジェクトや、日本銀行の過度な金融緩和政策などにより、消費者物価は高い上昇を示したのです。

このような物価上昇が高齢者の台所を直撃し、老後のために蓄えた貯蓄資金が実質的に大きな目減りをしたということは、Ⅰ章で述べたとおりです。

(2) 交易条件に注目

経済学的な視点から石油ショックの影響を測る際に、重要な指標としてよく用いられるのが交易条件です。交易条件とは、簡単に言ってしまえば、日本が輸出する財の価格を輸

用　語　解　説

消費者物価指数

物価の動きを見る上で最も日常的に使われる物価指数のことです。消費者が日常生活で購入する財やサービスの価格の動きを調べることで、全体としてこれらの財・サービスの価格がどの程度変化しているのかを示しています。

消費者物価指数の対象となる価格品目はたくさんあります。パソコンや家電製品のような耐久消費財から野菜や魚などの生鮮食品まで、家賃からタクシーや専門学校の授業料まで、実に多様な価格が含まれています。中には大学の授業料のように次第に高くなっていくものから、牛丼の価格のように安くなっていくものもあります。それぞれの価格の動きにその財やサービスの重要性（消費に占めるその財やサービスの割合）をウェイトとしてつけた平均値が計算されます。これが消費者物価指数です。

消費者物価指数は物価の動きを調べるための指標として使われるだけではなく、他にも重要な役割を果たします。たとえば、年金は物価スライドといって物価の動きに合わせてその支給額が調整されます。消費者物価指数を見て、これが高くなっていればそれに応じて年金の支払いも増やされます。また、労働組合と企業が賃金交渉を行うときにも、消費者物価指数の動きは参考にされます。

入する財の価格で割ったものです。日本は多数の種類の商品を輸出、あるいは輸入しているので、実際にとられる交易条件の指標は、輸出財、輸入財の指標であらわした財の価格ということになります。

交易条件が高くなるということは、輸入財の価格に比べて輸出財の価格が相対的に高くなるということです。その場合、日本は、モノを輸出することによって、海外からより多くのものを輸入できることになります。したがって、一般的に交易条件が高くなることを交易条件が改善するといい、その場合には日本の経済は海外との取引において好ましい影響を受けることになるのです。

石油価格が高騰するということは、日本にとっては交易条件の悪化を意味します。石油は日本の輸入の中で非常に重要な項目の一つであり、その価格が上昇すれば、日本は石油を輸入するためにより多くの財やサービスを海外に輸出しなければいけないことになります。これは日本の経済にとって大きな痛手となります。

図3－4は、この時期の日本の輸出入品目の構成の推移を示したグラフです。七〇年から七五年にかけて、石油をはじめとする一次産品の輸入に占めるシェアが急速に拡大していることが読み取れると思います。これは石油価格の上昇により、一次産品の輸入に対する費用が日本経済にとって極めて大きくなったことをあらわしています。交易条件という指標は、一般の人

図3－4　日本の輸出入の品目別構成（1960～2002年）

①輸出

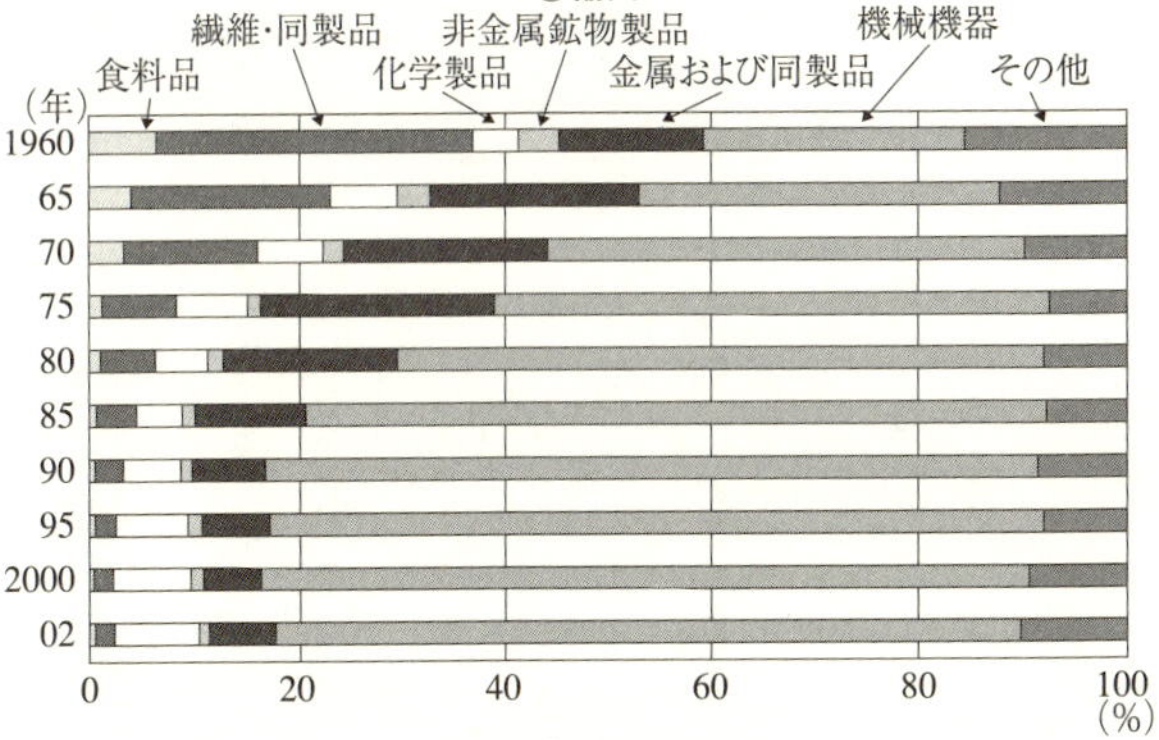

②輸入

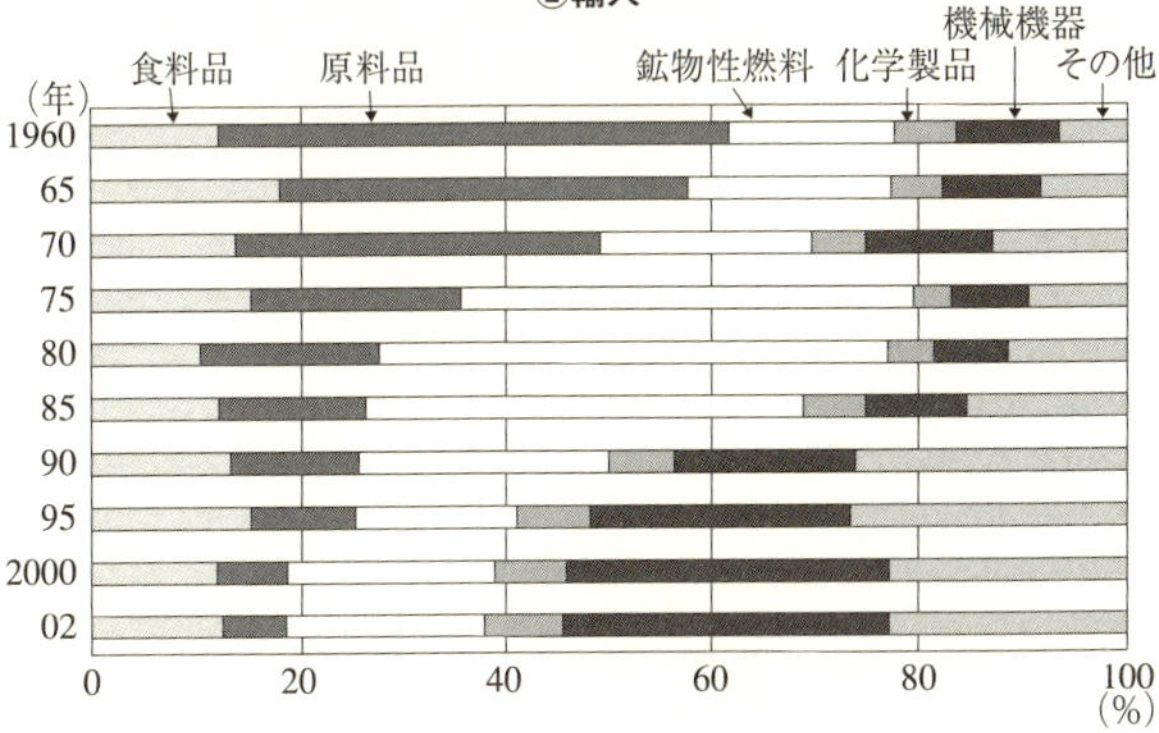

（注）①財務省（旧大蔵省）「貿易統計」よりジェトロ経済情報部計量分析チーム作成　②「その他」は繊維製品、非金属鉱物製品、金属および同製品を含む
（出所）ジェトロ HP、『日本の貿易統計・国際収支統計』

にはあまりなじみのない名称だろうと思いますが、海外との貿易に大きく依存している日本の経済の動きを見るためには重要な経済指標なので、注目してもらいたいと思います。

(3) 政策の失敗が加速

先程、日本の狂乱物価（物価上昇）の国内要因として、「日本列島改造論」の話と中央銀行の金融政策のことを述べました。この点について、もう少し詳しく触れてみたいと思います。

七〇年の初め、当時の通産大臣（後の総理大臣）の田中角栄氏は、「日本列島改造論」を発表し、大きく注目されました。簡単にいってしまえば、日本列島の各地に巨額の公共投資をすることにより、鉄道や道路のインフラを整備し、日本経済の活力をさらに高めることを提言したのです。

政治家としても実力者となっていた田中角栄氏の「日本列島改造論」は、土地投機のブームを煽り、同時に公共投資拡大の期待を膨らませる結果になりました。これが、日本の不動産価格や諸物価の高騰の一つの大きな原因になったのです。

もう一つ、狂乱物価の原因としてしばしば取り上げられるのが日本銀行の金融政策です。前の章でも少し触れたように、日本銀行は日本の中央銀行として、金融政策を担う重要な役割を担っています。日本銀行の金融政策を見る上で最も注目される経済指標の一つに、マネーサプ

図3－5　マネーサプライの動き

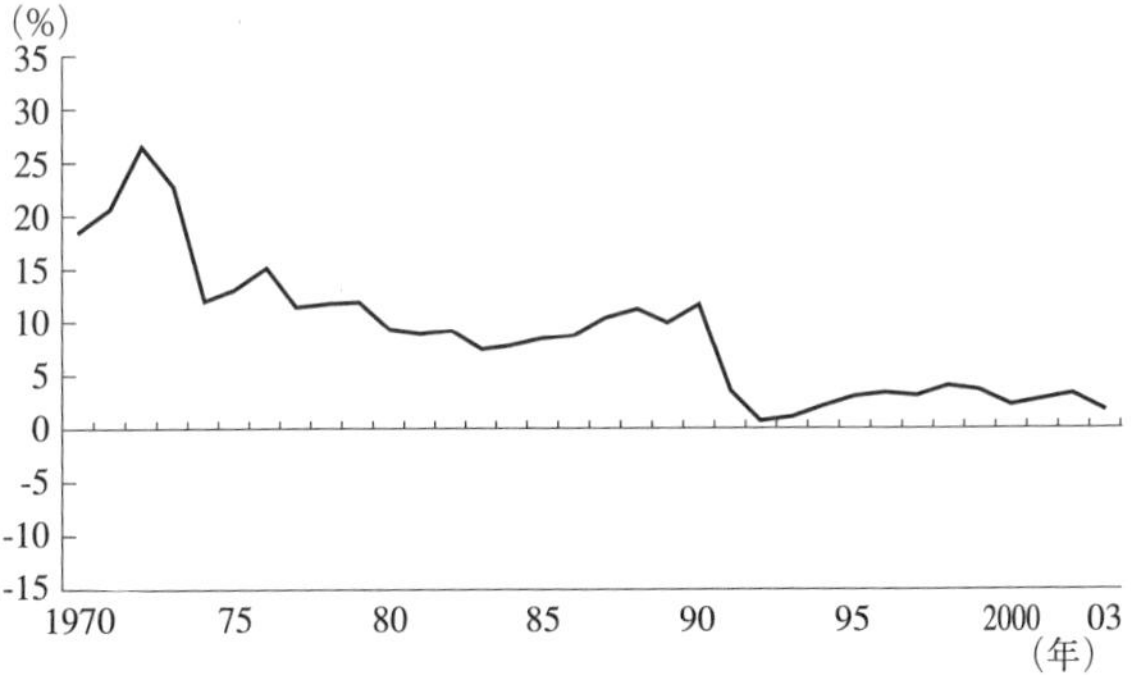

（出所）日本銀行『経済統計年報』平成5年、日本銀行HP、金融経済統計「主要金融経済指標」

ライがあります。これは国内に流通している現金と預金の総量のことで、どの種類の現金、預金で測るかで、さまざまな指標があります。

図3－5は、「M2＋CD」というマネーサプライの指標でとった、マネーサプライの変化の状況を示したグラフです。ここから、日本のマネーサプライ、つまり貨幣供給量が七〇年代はじめに急激に膨れ上がっていることが読み取れると思います。この急激なマネーサプライの増加が日本の物価上昇に非常に大きな影響を及ぼしたものであるということが、当時、学者や政策担当者の間で大きな論議になり、狂乱物価に対する中央銀行の責任問題として議論されました。

今ここで、当時の狂乱物価に対して日本銀行がどの程度の責任があるかということについて分析するスペースはありませんが、中央銀行の金融政策は、マネーサプライの変化などを通じて、インフレやデフレという現象に非常に大きな影響を及ぼし得るものです。これ以降、実際の経済の動きとともに、中央銀行の政策に対する関心が高まり、日本経済の節目節目で取り上げられました。

(4) 固定相場制の崩壊

この時期の日本経済や世界経済をめぐるもう一つの大きな動きは、為替制度の変化です。世界の主要国は、第二次世界大戦後、アメリカのワシントンに本部を置くIMFの下、固定相場制という制度を維持してきました。三〇年代の世界大恐慌のとき、各国は自国の経済を刺激する目的で、自国通貨の切り下げを繰り返し、世界の通貨制度が大きく混乱しました。固定相場制はこの反省から出てきたもので、第二次世界大戦中から直後にかけ、アメリカやヨーロッパの主要国の間で、戦後の経済体制の柱として構築されたものの一つです。これがブレトンウッズ体制と呼ばれているのは、そうした議論が行われたアメリカの都市（ニューハンプシャー州ブレトンウッズ）にちなんだものです。

その基本的な構造は、アメリカの通貨ドルが基軸通貨となり、アメリカはドルという自国通貨と金を一定割合（一オンス＝三五ドル）で交換する義務を負うというものです。これによってドルは金という実体のある資産に固定されることになり、アメリカの物価が安定することが期待されたのです。

他方、日本やイギリス、ドイツなど他の国は、自国通貨とドルとの交換比率（為替レート）を固定させるという義務を負いました。金とのリンクで価値が固定されたドルと自国の通貨を固定為替でつなげていく（リンクしていく）ことで、各国の通貨の価値や物価も安定すると期待されたのです。

日本の場合、一ドル＝三六〇円というレートが付けられ、日本政府は、実際の市場の為替レートがこの上下一％以上乖離しそうになったときには、市場でドルや円の介入を行うことにより固定レートを維持することを求められました。

固定相場制について簡単に説明すると、固定レートを守るために、為替の介入や国内の財政金融政策を総動員するということです。戦後の日本経済は、固定相場制を軸にマクロ経済政策運営が行われたといっても過言ではありません。

固定相場制は五〇年代から六〇年代にかけての世界の安定的な貿易の成長に大きく貢献しましたが、六〇年代の後半からその仕組みに大きなゆがみが発生しました。相対的な経済力の弱体化や、ベトナム戦争などが招いた財政赤字の問題などから、固定相場制や金との関係を維持することがアメリカ政府にとって難しくなってきたからです。

固定相場制を維持することが困難になってくる中で、七一年に、当時のアメリカの大統領ニクソンは、突然、一オンス＝三五ドルという金とドルの交換を停止することを発表しました。これがいわゆるニクソン・ショックです。これによって、固定レート制を維持してきたブレトンウッズ体制は崩壊することになります。

その後、二年間ほどは、為替レートを調整して固定レート（日本の場合には一ドル＝三〇八円）を維持する努力が行われましたが、結局、固定相場制を維持することは困難であることがわかり、七三年に日本をはじめとする多くの主要国は変動相場制に移行していったのです。

(5) 変動相場制が日本経済を変えた

変動相場制への移行は、日本にさまざまな影響を及ぼしました。一つは、図3－6で示されているように、変動相場制に移行して以来、七〇年代は為替レートは一貫して円高の方向に向かっているということです。

石油ショックという混乱の中にあったものの、世界の主要な先進国として、日本経済がその存在を大きくしていたことは明らかであり、これが日本の所得水準を引き上げていく大きな原動力となっていました。変動相場制の世界においては、日本の対外に対する相対的な所得水準の増加が、為替レートの上昇という形であらわれることが少なくないのです。七一年に一ドル＝三六〇円であった円ドルレートは、七〇年代後半には一ドル二〇〇円を切るような水準にま

図3－6　円ドルレートの動き（1973年以降）

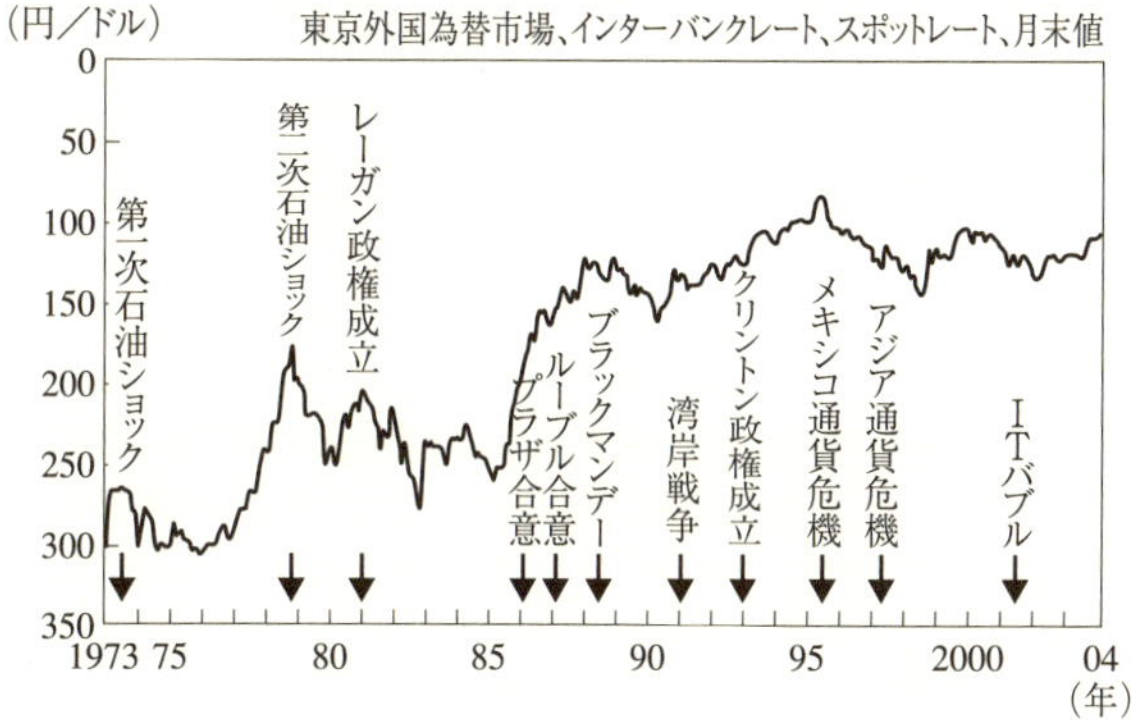

（出所）日本銀行HP、金融経済統計「外為相場等」。2004年は3月10日時点

でなりました。これは、同じ日本の円で買えるアメリカの財が二〇〇分の三六〇、つまり約一・八倍に膨れ上がったことを意味します。

為替レートの上昇により、日本の産業構造も大きく変化しました。円高の中でも国際競争力を持つ産業に資源が集中する一方、円高の中で海外との競争が厳しくなる産業は規模を次第に小さくしていきました。円高の中でも規模を拡大していった産業は、先程述べた精密機械、自動車、エレクトロニクスなどです。規模を縮小していったのは、繊維や軽工業といった五〇年代に日本の成長を支えていた産業です。また、鉄鋼・造船・石油化学などの重化学工業でも成長が止まり、縮小に転ずるところが出てきました。図3－4に挙げた輸出入の品目別構成の推移を見ると、こうした七〇年以降の産業の変化が確認できます。為替レートの変化は、石油ショックとと

C O F F E E B R E A K

為替レートと農業の競争力

日本の農産品は国際的に見て非常に価格の高いものとなっています。貿易を完全に自由化すると海外から安価な農産品が入ってきて国内の農業が大きな被害を受けるのではないかと危惧して、高い関税などで保護されている品目が少なくありません。その中でも米の関税率は特に高くなっています。日本人の主食の米ぐらいは日本国内で自給できるようにすることが好ましいと考えられているからです。もし米の関税が撤廃されれば、アメリカの安価なカリフォルニア米が入ってきてしまうと考えられます。

さて、日本の米の生産コストが高いのは、日本の土地が狭いから当然と考えられています。確かにそのとおりなのですが、為替レートとの関係について少し深く考えてみると、面白い面が見えてきます。この30年間、アメリカの農業と日本の農業の間に生産性の変化で大きな格差があったのでしょうか。アメリカは土地が潤沢で日本は土地が狭いという意味であれば、現在も30年前も違いはありません。この間に両国の間に大きな生産性上昇率の格差があったとも思われないのです。ただ、30年ほど前の1971年には為替レートは１ドル＝360円であったものが、現在はおおよそ100円です（2004年２月）。つまり、この間に日米の農業の格差に大きな変化がなかったとしても、為替レートの変化だけで日本の米はアメリカの米に対して3.6倍高くなったことになります。もし為替レートの変化がなければ、日本の米はこんなに割高にはなっていなかったのです。

それでは為替レートをこれだけ円高にした原因は何でしょうか。最も重要な要因は、製造業などにおける技術革新と生産性の向上です。製造業が頑張るほど為替レートは円高になり、それだけ農業の国際競争力は低下していくことになるのです。

もに、日本の産業構造を大きく変える原動力となったのです。

2　グローバル化のきっかけ――レーガノミックスからプラザ合意まで

(1)　震源地はアメリカ

一九七〇年代末から八〇年代の後半にかけて世界経済は、大きな変化にさらされました。この時期、日本も大きな変化を遂げました。一つの大きな転換点となったのは、アメリカに生まれた新しい政権の動きです。七〇年代後半はアメリカにとって経済的に戦後最悪の時期でした。二度の石油ショックによる世界的なインフレの傾向、ベトナム戦争以来引きずっている財政赤字問題、日本やヨーロッパなどの産業によって追い上げを受けている製造業の苦戦などで、経済状況は非常に厳しいものでした。

経済の状況のひどさを示す指標として、ミゼリー指数（惨め指数）と呼ばれるものが使われます。これは失業率とインフレ率を足した数値のことで、七〇年代後半のアメリカでは、戦後最も高い水準になりました。つまり、物価が上昇する一方、失業率も拡大するという、スタグフレーション（不況を意味するスタグネーションとインフレーションを合成させた用語）が激しく起きていたのです。

図3－7　1979〜88年のアメリカの金利の推移

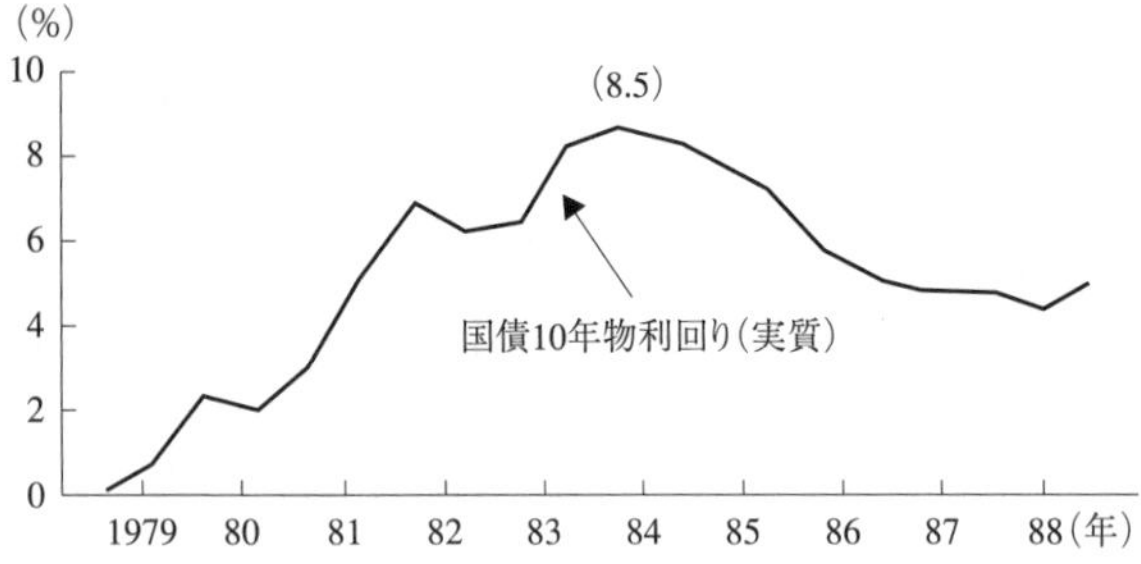

(出所)『通商白書』平成元年版

こうした経済的な困難の中で、七九年、アメリカの中央銀行総裁にポール・ボルカー氏が選ばれました。ボルカー氏は、アメリカ国内に蔓延する厳しいインフレの状況から脱するために、一時的な経済的後退を覚悟した上で、強烈な金融引き締め政策を行いました。この金融政策は、アメリカ経済だけでなく、世界経済にも大きな影響を及ぼしました。

具体的には、先程も述べたマネーサプライを抑える政策を打ち出しました。下巻のⅦ章で詳しく説明しますが、マネーサプライを急速に抑制すると、一般的に金利を大きく引き上げる結果になります。実際、図3－7にもあるように、この時期のアメリカの金利は急速に高騰しています（この図は通常の金利から物価上昇率を引いたもの――これを実質金利という――ですので、もし物価の動きも含めた通常の金利であればその上昇はさらに激しくなります）。七八年にアメリカで博士課程を終え、私は初めて新米の大学教師として教え始めましたが、七九年ごろにもらった給料の一部を銀行に預けたところ、高い金利が付いて驚いたことをよく憶えています。

ボルカー氏から一年ほど遅れて、八〇年にレーガン大統領が就任します。レーガン大統領が行ったレーガノミックスと呼ばれる財政政策に関する大きな変更が、先程触れたアメリカのインフレ抑制と金利高騰にさらに拍車をかけることになるのです。

共和党出身の大統領であるレーガン氏は、「小さな政府」を政策の前面に打ち出しました。すなわち、積極的に減税を行い、民間の経済活力を高めるとともに、政府による経済活動の規模をできるだけ縮小し、民営化や規制緩和を徹底的に進めていこうとしたのです。

現実的には、この時期、アメリカはソ連との冷戦の最中にありました。アフガニスタンなどでの紛争の影響もあって、軍事的な支出を削減することができなかったため、政府の支出を減らすというレーガン大統領の当初の意図はすぐには実現できませんでした。しかし、大胆な減税を行ったため、財政収支は急速に赤字の方向に向かいます。下巻のⅥ章で詳しく説明しますが、政府が財政政策を拡大する（減税ないしは支出の増加）と、政府によって国内資金のかなりの部分が財政赤字の補填のために吸収され、アメリカ国内の金利の高騰につながります。

(2) ドル高そして経済摩擦

ボルカーの下での厳しい金融引き締めとレーガン政権の初期における大幅な減税による財政

図3－8　小さな政府を目指したレーガノミックス

・大幅な減税
　→民間経済活力向上を目指す

・公的支出削減
　→米ソの軍事対立で削減できず

⇒ 財政赤字

・大胆な規制緩和
　→政府による介入の排除

赤字の拡大により、図3－7にもあるように、アメリカの金利は大幅に急騰しました。この金利の急騰は、世界の為替市場にも大きな影響を及ぼしました。金利が急騰したアメリカのドルの資産は、海外の投資家から見れば収益性の高い魅力的な投資対象に映ります。したがって、金利の急騰に対応して、海外から多くの資金がアメリカへ流入し、ドルの為替レートを引き上げていったのです。

先に図3－6として示した円ドルレートの動きを、一九七〇年代後半から八〇年代前半にかけて見てください。それまで円高に向かっていた為替レートは、七〇年代末から一気に円安（ドル高）方向に動き、八〇年代前半は一ドル二五〇円、あるいはそれを超えるような円安が続いたことが読み取れると思います。

こうした動きは、日本経済に非常に大きな影響をもたらしました。極端な円安は、日本からアメリカに向けた輸出の大幅な拡大につながりました。図3－9に、日本

図3－9　円安によって輸出品は海外で安くなる（仮想例）

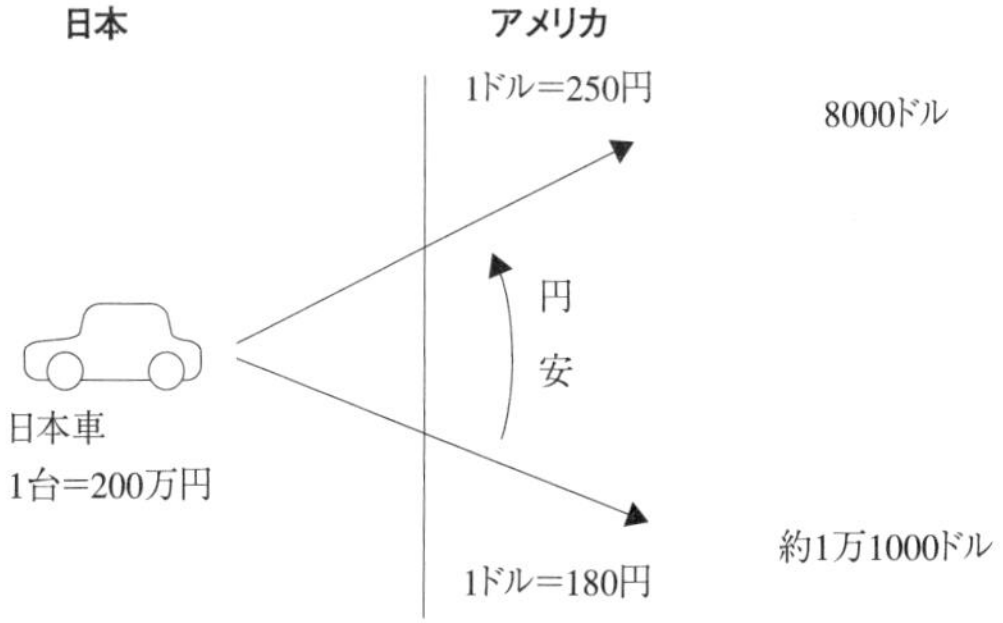

為替レートが円安に動けば、アメリカ人から見て日本の商品が割安になるので日本の輸出が増える。

の代表的な自動車の例（仮想例）で、為替が円安になるとアメリカでの価格が安くなることを示しているので、参考にしてください。

ドル高は、結果的に日本やヨーロッパからのアメリカへの輸出を大幅に拡大させました。アメリカにとっては、貿易収支の大幅な赤字につながる結果になりました。アメリカへ大量にモノを輸出することにより、日本の輸出産業である自動車・工作機械・精密機械などは業績を上げていったのです。

しかし、日本の輸出の急増は、アメリカとの間に深刻な貿易摩擦を引き起こす結果になりました。「集中豪雨的な輸出」と呼ばれた日本からアメリカへの輸出は、特定の時期に急速に拡大していくという特徴を持っています。輸出急増の直撃を受けたアメリカの産業は、レイオフ（雇用者の一時解雇）あるいは生産の縮小、さらには倒産といった厳しい状況に追い込まれ、アメリカ国内全体に日本への反感が高まり、輸入制限を強化しようとする動きにつながったのです。この時期、テレビに、日本の自動車やラジカセなどをハンマーで叩き潰そうとするアメリカの労働者の姿がよく映し出されたものです。

(3) 表面化した累積債務問題

ボルカーとレーガンの政策によって、アメリカの金利が引き上げられたことが世界に及ぼした影響の、もう一つ重要な側面に簡単に触れておきましょう。それは、メキシコ、ブラジル、アルゼンチンなどを代表とする発展途上国の累積債務問題の表面化です。

先程も触れたように、七〇年代は二度の石油ショックに見舞われた時代でした。中東の産油国には、石油ショックによって石油輸出の代金が潤沢に入ってきました。これはいわゆるオイルマネーとなり、世界の主要な金融市場に再投資されました。ロンドンにあるシティと呼ばれる金融地域には各国から多くの金融機関が進出し、オイルマネーが貯蓄資金として大量に流れ込みました（図3－10）。この資金のかなりの部分が、メキシコ、ブラジル、アルゼンチンのようなラテンアメリカ諸国、あるいは韓国、フィリピンのようなアジアの急成長を遂げつつある新興工業国に貸し出されていったのです。

七〇年代のラテンアメリカ、特にブラジルのような国は、「未来の国」として大変注目を浴

図3―10　オイルマネーの流れ

びていました。たとえばブラジルは、二億人を超える豊富な人口と広大な国土、豊かな天然資源などに恵まれていました。そのような国に積極的に投資が行われ、経済発展が実現していけば、結果的に投資に対して高い収益をもたらすと期待されたのです。そのような期待から、オイルマネーとして産油国に入っていた大量の資金は、ロンドンやニューヨークのような国際金融市場を通じて、発展途上国に大量に貸し出されていったのです。

　しかし、残念ながら、七〇年代に発展途上国や新興工業国に入っていった資金のかなりの部分は、健全な形での経済発展に利用されたわけではありませんでした。資金が流入し続けている限りにおいては問題は起こらなかったのですが、七九年のボルカーによる金利の引き上げ、あるいは八〇年のレーガン政権の下での財政赤字によって、世界の金融市場の金利は急速に高騰していきました。

　ちなみにアメリカのドルは、アメリカの通貨というだけではなく、国際金融市場の取引にも積極的に利用される国際基軸通貨であり、ロンドン市場などを通じて国際的に貸し借りされるドル資金はユーロダラーとも呼ばれています。

先程、図3－7にこの間のアメリカの金利上昇の動きを示しましたが、これだけ金利が上がっていくと、大量の借金を抱えているブラジルやメキシコなどの国が負債を返せなくなるということは、容易にわかると思います。一九八二年、メキシコ、ブラジル、アルゼンチンなどは次々に債務を返済できないことを発表し、国際的な累積債務問題が表面化することになりました。八〇年代はこれらの国にとっては大変厳しい時代となり、オイルダラーでわいた発展途上国の開発ブームも一気に冷めきってしまうことになります。これも、七〇年代末から八〇年代にかけてアメリカで起こった政策転換の大きな影響の結果でしょう。

(4) プラザ合意——円高への急転換

八〇年代の前半は、大幅なドル高（円安）時代でしたが、この動きに大きな変化をもたらしたのが、八五年の九月、ニューヨークのプラザホテルで行われたG5（先進五カ国蔵相・中央銀行総裁会議）です。この会議での合意をプラザ合意といいます。

当時、あまりの急激なドル高に、アメリカ政府は対応を迫られていました。ドル高になれば、アメリカ国内の産業は海外からの大幅な輸出増加（アメリカにとっては輸入増加）に悩まされることになります。輸入拡大の影響の直撃を受けたのが、自動車、工作機械、鉄鋼などの製造業や、農業部門です。レーガン政権としても過度なドル高を見過ごすことはできず、ヨーロッパや日本といった先進国と協議し、急速なドル高を是正する為替市場への共同の介入に踏み切ろうとしたのです。当時、日本の大蔵大臣であった竹下登氏（後の総理）が、成田の近くのゴルフ場でゴルフをするふりをして、クラブハウスをすり抜け、飛行機に乗り込み、秘密裏にプラザホテルでの会議に臨んだことは、逸話として知られています。

プラザ合意のメッセージは、アメリカのみならず日本やヨーロッパの大蔵（財務）大臣、あるいは中央銀行の総裁が揃ってドル高への是正に対応するという姿勢を強く出したことにあります。単なる合意にとどまらず、各国は実際にドル高を是正するための積極的な市場介入や、金融政策の運営に動いたのです。主要国が協力して為替水準の調整に動くことを、為替市場への協調介入といいます。あるいは、そうした目的のために財政政策や金融政策についても歩調を合わせることをマクロ政策の協調と呼びます。

その後、主要国の政策的な協調は一つの大きな動きとなり、プラザ合意のときにはG５であったものが、G７、あるいはG８と参加国の数を増やしながら、現在も行われています。ただし、プラザ合意のように目に見える形で主要国の政策協調が実現したケースは、そう頻繁にあるわけではありません。

図3−11　円高（プラザ合意）のインパクト

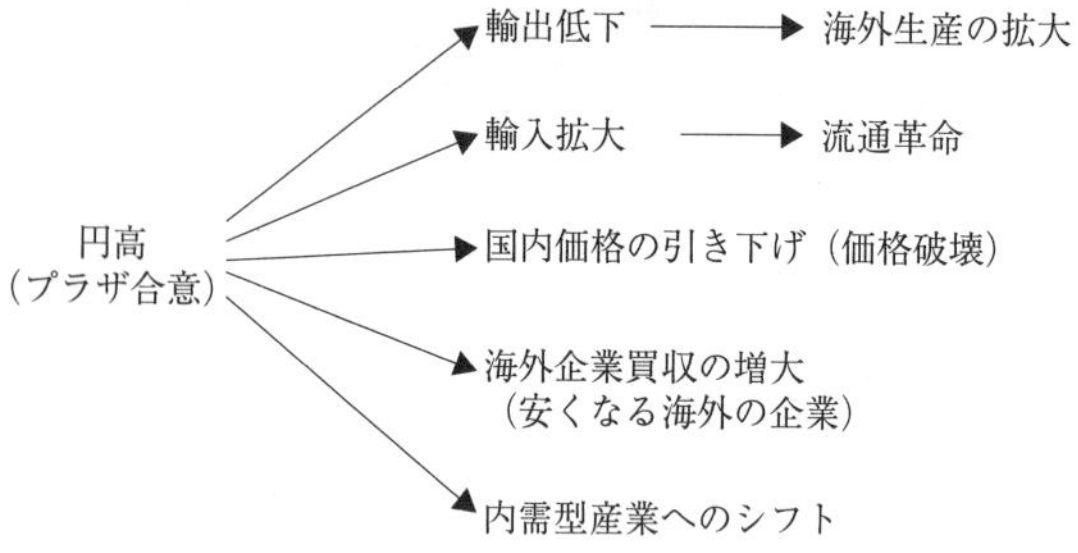

(5) 円高は日本に何をもたらしたか

プラザ合意の結果、日本の為替レートは急速に円高方向に動くことになります。先程引用した図3−6の円ドルレートの動きを見てもわかるように、八五年の初めには一ドル＝二五〇円前後であった円ドルレートは、それから三年後の八八年には一ドル＝一二五円近くまで、円高に向かうことになります。わずか三年ほどの間に、為替レートはほぼ倍になりました。

この急激な円高は、日本経済に大きな影響を及ぼすことになります。まず貿易が行われている産業で見ると、急速な円高によって日本の輸出関連産業は大変厳しくなり、多くの輸出企業が円高不況と騒ぎ始めます。大企業にとっても大変厳しいものでしたが、特に大きな影響を受けたのは、地場産業を中心とした中小企業でした。全国の中小企業の経営者の悲鳴に対応し、政府は円高対策ということで、大胆な景気刺激策をとらざるを得ませんでした。このとき行われたのが大幅な金融緩和で、これが八〇年代後半のバブルの形成につながっていくことは、後

図3－12　円高は輸入を拡大させる

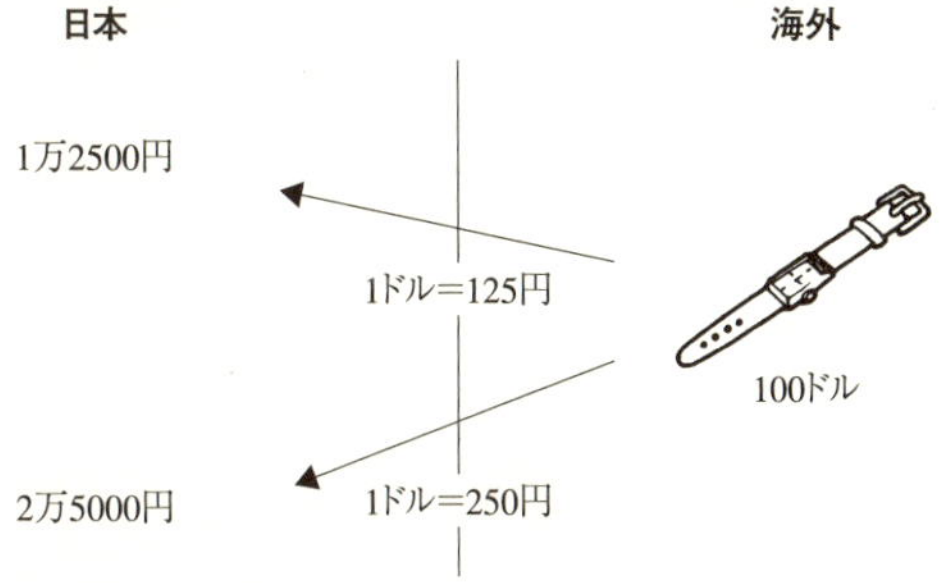

で触れたいと思います。

円高のもう一つの大きな影響は、輸入が急増することです。図3－12に例で示してありますが、為替が円高に動いていけば、海外から輸入する商品の日本国内での価格は大幅に安くなります。アジアの多くの国の通貨は、アメリカのドルと連動した動きをするような形になっているので、この時期に円高が急速に進んだことによって、アメリカだけでなく、アジア主要国からの輸入品の日本国内における価格も大幅に下げることになりました。

先に見た図3－4で、八〇年代以降の日本の輸入に占める主要品目のシェアの推移を見ると、八〇年代の後半にかけて、工業製品（たとえば繊維製品や電機製品）のシェアが急速に上がっていくことが読み取れます。かつては日本の輸入の七割か八割近くを一次産品が占めていましたが、この時期には既に半分が製品（製造業の産出物）になっていることがわかります。

輸入急増の一つの大きな原動力になったのが、日本の流通業です。この時期、ダイエーやイトーヨーカ堂をはじめとする大型店が積極的に店舗展開を行いました。そして、海外から低価格の商品を大量に輸入し、日本で売ることにより、売り上げを大幅に伸ばしました。「価格破壊」という言葉がマスコミで盛んに取り上げられるようになったのも、この時期です。大型のチェーンストアだけでなく、青山商事やアオキインターナショナルのような郊外型の紳士服店、あるいは安売りの玩具店やドラッグストアなどが郊外に次々と進出してきたのもこの時期です。中国産の製品を扱うことで大成功をおさめたユニクロ（会社名はファーストリテイリング）も、このころから少しずつ郊外に店舗を展開し始めています。

(6) 激増した海外投資

為替が急速に円高に進むことで、日本の輸出企業は厳しい状況になり、輸入は急激に拡大しましたが、同時にそれは、もう一つの大きな変化も引き起こしました。それは海外に向けての積極的な投資です。円高によって購買力の拡大した日本の企業は、積極的にアメリカなどの企業の買収、あるいは不動産投資に走ることになります。ソニーがハリウッドの映画会社、コロンビア・ピクチャーズを買収したときには、日本の企業はアメリカの魂を買うのかと、アメリカのマスコミで批判的な取り上げられ方をされたものです。

表３－１に、この当時の大型買収案件の事例をいくつか整理してまとめてあります。ここか

表３－１　日本企業による主な海外企業買収（1988、89年分）

（単位：億円）

買収企業	買収された企業（業種）	金額	時期
ソニー	コロンビア・ピクチャーズ（映像）	6,440	89.9
ブリヂストン	ファイアストーン・タイヤ・アンド・ラバー（タイヤ）	3,337	88.3
セゾンコーポレーション	インターコンチネンタル・ホテルズ（ホテル）	2,880	88.9
第一勧業銀行	CIT（金融）	2,000	89.9
住友商事など	クック・ケーブル・ビジョン（通信）	1,900	89.2
日本鉱業	グールド（電機）	1,485	88.8
三菱地所	ロックフェラーグループ（不動産）	1,200	89.10
藤沢薬品工業	ライフォメッド（医薬品）	1,050	89.8
パロマ工業	リーム・マニファクチャリング（機械）	1,050	88.3
東京銀行	ユニオン銀行（金融）	975	88.2
山之内製薬	シャクリー（医薬品）	950	89.4
京セラ	AVX（電機）	805	89.9
セッツ	ユアルコ（印刷）	780	88.9
大昭和製紙	リード・カナディアン・ホールディング（製紙）	582	88.6

（注）山一證券調べ
（出所）「朝日新聞」1989年11月１日付朝刊

らは、巨額の資金が動いたことがわかります。日本の企業から見れば、八五年から八八年の三年間に円ドルレートが倍になるわけですから、結果的にアメリカの企業や不動産の価値が半分になるということと同じように映ったわけです。これが日本の企業の投資意欲を高めていきました。このころ、バブルも起き始め、日本国内の不動産価格や株価も急速に上がり始めました。日本全土を売ればアメリカが四回買え、イギリスが百回買えるといった机上の計算で、日本の投資意欲がはやし立てられたのは、まだ記憶に新しいことです。

もう一つの大きな投資の流れは、製

造業による海外での積極的な生産の展開です。八〇年代の初めにアメリカやヨーロッパとの間で起きた激しい経済摩擦は、日本企業に海外での生産を促す大きな要因となりました。自動車、家電、機械などの産業は、アメリカやヨーロッパに積極的に投資をし、現地での生産を高めていくことにより、輸出による貿易摩擦の解消に努めようとしたのです。

このときの積極的な投資は貿易摩擦回避のために行われたのですが、結果的には海外生産の拡大を通じて日本の製造業の国際化は急速に進展し、九〇年代以降の日本企業のグローバル戦略上、大変重要な意味を持ったのです。

現在、日本を代表する企業の経営者として腕を振るっている、ソニーの出井伸之氏、トヨタ自動車の張富士夫氏、あるいは松下電器産業の中村邦夫氏などは、この時期、海外拠点に勤務し国際的なビジネスの中で揉まれていました。

日本企業は八〇年代後半からアジア地域に目を向け始めました。この時期、韓国・香港・台湾・シンガポールのアジアの四つの新興工業地域は、「アジアのドラゴン」と呼ばれ、急速な経済成長を遂げていました。これらの地域に続く形で、マレーシア、タイ、インドネシアなども積極的な海外投資誘致をすることにより、経済成長を遂げようという政策を前面に打ち出してきました。

日本企業は東南アジア地域の動きに呼応する形で、アジアの各地に現地工場を展開し、現地の低廉な労働力を利用することにより、円高によって競争力を失いつつあった日本国内の生産を補完しようとしたのです。

3　出口はどこに――バブルの形成と崩壊

(1)　バブル発生の三つのポイント

三つ目の事例として、一九八〇年代後半から九〇年代にかけての日本経済について簡単に触れてみたいと思います。八〇年代後半、特に八七年から九〇年の時期をバブルの時期と呼ぶことがあります。この時期、日本の不動産や株価は異様なまでの高騰を示しました。図3―13に、八〇年代から二〇〇一年にかけての日本の地価と株価の動きを図示してあります。これを見ると、当時の日本の地価と株価の上昇がいかに異常であったかがわかると思います。バブルがなぜ起きたかについては、ここではあまり詳しく触れませんが、いくつかポイントを挙げておきましょう。

一つは、八〇年代の後半、円高不況を危惧する中で、金融政策が緩和基調で運営されてきたことです。金利が低く抑えられることは、株式や不動産への投資を行おうとしている企業にとって資金コストが安くなるということです。低金利が不動産や株式への投資の大きな促進要因

図3－13　資産デフレ

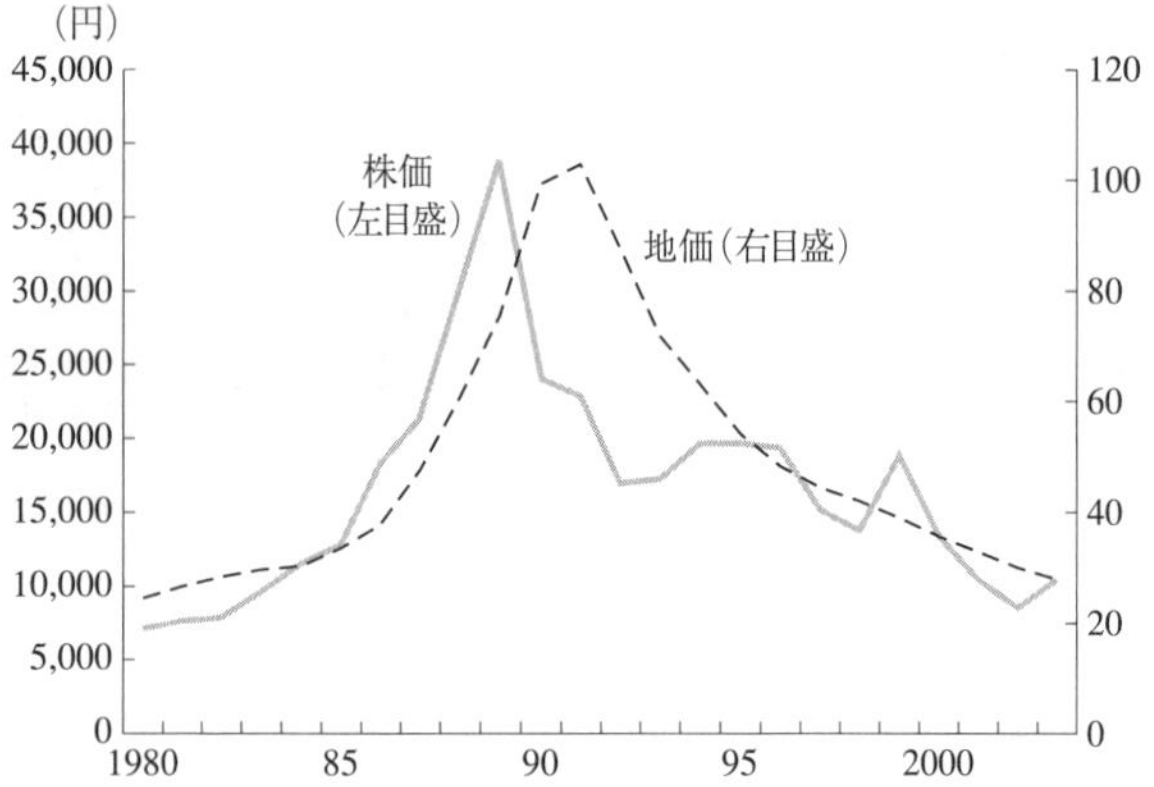

（出所）株価：NIKKEI NET、日経平均プロフィル「年次データ」（終値）。
地価：日本不動産研究所『市街地価格指数』（1990年3月末＝100）

になったと考えられます。

二つ目は、日本の国内に、土地神話、あるいは株価神話というものが深く根付いていたということです。戦後、日本の不動産価格はほぼ一貫して上昇し続けていました。国土の狭い日本では、土地が貴重な資源であり、土地の値段は一時的に下がることはあっても、傾向的には必ず上がっていくという信念が国民一般に定着していたようです。地価が上がっていくことを想定すれば、不動産を保有している人は、不動産の家賃だけでなく、不動産の価格上昇（これをキャピタルゲインという）からの利益も見込めるわけです。

そこで、「不動産価格の上昇の期待→不動産からのキャピタルゲインを狙った不動産投資→不動産価格の上昇→さらなる不動産価格上昇へ

用語解説

バブル

バブルとは泡の意味ですが、経済の世界では株価や地価などの資産価格が経済の実態を逸脱して極端に高くなったり、逆に極端に低くなったりするような状況を指します（通常、「投機の泡」といいます）。

日本では1987年から90年にかけて株価や地価が異常に高騰しました。この時期をバブルと呼びます。バブル（泡）は必ずクラッシュ（破裂）します。異常に高騰した株価や地価は急落することになります。日本でも90年代に入って株価や地価は大幅に下落しています。

株や土地のような資産価格には、バブルが起こりやすい要素が含まれています。株を例に考えてみると、もし人々が株価が上昇すると考えれば、株を持っていることでキャピタルゲイン（株価上昇による株価差益）が期待できますので、人々は株を購入しようとします。こうした株の購入熱が株価を実際に引き上げることになり、人々の株価上昇期待をさらに刺激します。

こうした株価上昇期待が実際の株価の上昇を引き起こすというサイクルが続くことで、株価は企業業績などの実態を逸脱したような高い水準に上がっていきます。地価の場合にも同じようなことが起こり得ます。日本の場合には、国民の間に「不動産価格は基本的に上がり続ける」という土地神話とも言えるような考え方が戦後定着してしまい、それが80年代後半の金融緩和の中で土地投機熱を煽り、不動産バブルを引き起こしたのです。

図3－14　貸出金と対GDP比

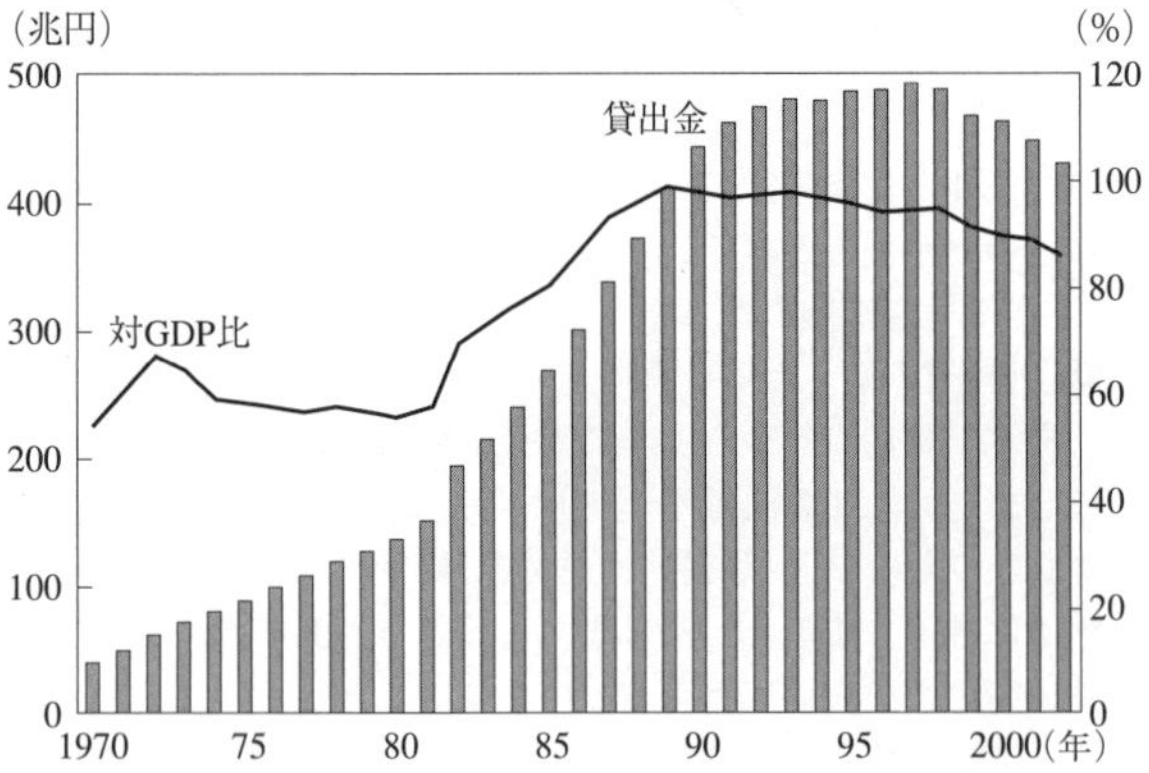

（出所）日本銀行HP、金融経済統計「主要金融経済指標」、日本銀行調査統計局『経済統計年報』、内閣府、財務省資料

の期待」という、地価上昇期待が地価上昇をさらに引き起こすという循環が起きたのです。これがまさしくバブルといわれているもので、上昇のサイクルが続く限りにおいては問題はないのですが、こうしたことが永遠に続くことはあり得ないわけです。株式市場でも同じようなことが起こり、株価はこの時期、急速に上昇しました。

　三つ目の要因として、こうしたことが日本の金融システムとも深いかかわりがあるということを述べておきましょう。図3－14に、七〇年から二〇〇二年にかけての、日本の銀行の貸出金（銀行の企業や家計に対するローンの総額）の推移を示しました。この図を見てもわかるように、八〇年代の初めに二〇〇兆円程度だった日本の銀行の貸出金は、八〇年代の後半に急速に膨張し、バブルが崩壊した九〇年代の初めには、五〇〇兆円にも膨れ上がっています。

その背景には次のようなメカニズムが働いていました。銀行が企業や個人に資金を貸し出し、企業や個人による株式や不動産への投資資金となりました。それが株価や地価を引き上げることにより、銀行からの借り入れの担保価値をさらに高め、そうした資金が銀行に預金としてながれ込んできたものが、再度、貸し出しに回されるという、信用の膨張が起こったのです。

いずれにしても、諸々の要因により、八〇年代後半、日本は異常なほどの株価と地価の上昇を経験するわけですが、九〇年代初めのバブルの崩壊で大きな転換を示すことになります。

(2)　バブル崩壊の連鎖反応

バブルがなぜ崩壊したのかは、ここで詳しくは触れませんが、一般的には、バブルとして異常に上がった地価や株価が必ずどこかで崩壊（クラッシュ）することは避けられません。他の多くの国でも、歴史的にさまざまなバブルの形成と崩壊が見られます。

バブルが崩壊すると、先程触れた信用の膨張と逆のことが次から次へと起こってきます。八〇年代後半に、これからも地価、あるいは給与が上がることを期待して、巨額の住宅ローンを組んで家を購入したサラリーマンの例を考えてみましょう。サラリーマンは地価がいずれ上がることを想定して、多少無理をして住宅ローンを組みますが、実際には地価が下がり始めます。

地価が下がるだけであればまだいいのですが、それに伴って景気も悪くなるので、残業が減ったり、あるいはボーナスがカットされたり、人によっては会社が倒産するかもしれません。

そのような中で、この人たちは住宅ローンの利子を払いきれなくなってきます。住宅ローンの利子が払えないから住宅を売却してローンを返済しようと思っても、既に不動産価格は大幅に下落していて、当初の住宅ローンの金額よりもはるかに安い価格でしか売れないということになるわけです。

こうしたことが、より大きな規模で企業でも起こってきます。ダイエー、そごうのような大型小売業、ゼネコンと呼ばれている建設業、マンション開発などの不動産業などは、バブルの時期に不動産価格の上昇を見越して大量の資金を銀行から借り入れ、不動産や店舗などに投資をしてきました。

しかし、九〇年代にバブルが崩壊し、日本経済が低迷を続ける中、売り上げや収益は落ち込み、持っている資産である不動産の価格や株価は急速に下がっていったのです。ローンの金利を返すだけの収益を上げるのも大変厳しく、手持ちの不動産や株を売却しようにも、その価値は既に大幅に低くなっているという状況です。

このことは、銀行にも大きな影響を及ぼしました。いわゆる不良債権問題です。企業が銀行のローンを返せなくなって倒産すれば、ローンが焦げつきます。そうしたことが続いて起これば、銀行自身の経営も非常に厳しくなっていきます。

バブル崩壊の波は、まず最初に中小の金融機関を直撃し、九〇年代の中ごろには、住専（住宅金融専門会社）と呼ばれている金融機関の経営を次々に破綻させ、そこに資金を貸し出していた金融機関や、農協系の金融機関などにも大きな影響を及ぼしました。そのうちに、大手の金融機関にも大きな影響が出て、九〇年代の後半には、北海道拓殖銀行、山一證券、日本長期信用銀行、日本債券信用銀行などが次々と破綻に追い込まれます。

政府は金融の混乱を回避するためにも、さらなる金融機関が破綻に追い込まれることを防ごうと、大規模な資本注入を行いました。つまり、金融機関に対して巨額の資金を資本という形で提供し、金融の健全化に努めたのです。こうした政策がどこまで効果があったかについては意見の分かれるところですが、残念ながら日本経済の低迷はこれによって止まることにはなりませんでした。九〇年代の後半からは、ついに一般物価水準が下落するという、いわゆるデフレ現象にまでつながっていくことになります。

デフレはインフレとちょうど逆で、さまざまな物価が下落していく現象をいいます。物価が下がっていくことだけを捉えると、好ましいことのように考える人もいるかもしれませんが、物価だけではなく、企業の売り上げも賃金も所得も下がり、税収も下がり、そして失業率が上がるという形で、経済全体の活動水準が低下していくのです。物価水準や賃金の下落が、不動産や株式の下落と相まって、銀行からの借り入れや、あるいは国民からの借り入れを非常に大きくしている企業や政府の財政状況を厳しくしています。

こうした状況を打破するために、一方で銀行部門に対しての大胆な改革、あるいは資本注入が行われ、他方では日本銀行や政府による、より積極的なデフレ対策としての財政政策や金融政策の刺激策が続けられています。

[Ⅳ] 市場の原理を理解する——ミクロ経済学の基本

1　なぜ民営化、規制緩和をするのか？

経済学の中で最も重要な原理は何かと問うと、多くの経済学者は「経済の活動は民間企業や個人に任せて、政府による介入はできるだけしないことが、結果的に一番好ましい資源配分を実現することになる」というでしょう。

この章では、ミクロ経済学の最も基本的な原理について説明するとともに、その背後にある市場メカニズムや価格の役割について説明したいと思います。その前に、まず具体的な経済の動きの中から、この問題について考えてみたいと思います。

この二十～三十年の間、日本経済を議論するときには、民営化、あるいは規制緩和が常に議題に上ってきました。これは日本だけでなく、海外でも同じような動きがあり、アメリカのレーガン大統領、イギリスのサッチャー首相などは、民営化や規制緩和を大胆に進めることで、経済において大きな構造変化を成し遂げたといわれています。

(1)　国鉄民営化から市場原理を学ぶ

日本の民営化の代表的な事例として、国鉄改革を見てみましょう。国鉄は現在、ＪＲという形で分割され、民間企業になっていますが、かつては国の組織として、「親方日の丸」の丸抱えで経営されていました。鉄道のような日本にとって非常に重要なインフラは、できるだけ公的な管理の下で計画的に建設し、運営することが好ましいと考えられてきたからです。

実際、明治の初めに新橋から鉄道が敷かれて以来、日本の鉄道は日本経済の発展の原動力として大変重要な機能を果たしてきました。しかし一九七〇年代以降、国鉄にさまざまな問題が生じてきました。とりわけ深刻なのが国鉄の財政状況で、コストが膨れ上がる一方、財政は赤字幅を次第に膨張させていったのです。

このような財政状況を改善するため、何度か鉄道料金が引き上げられましたが、料金の引き上げは国民に負担を強いるものであり、必ずしも好ましいものではありません。こうした国鉄の状況を打開するために、八〇年代、当時の首相であった中曽根氏の下で、国鉄民営化の改革が行われることになりました。

国鉄民営化に期待されたのは、経営の中に競争原理や利潤原理を持ち込むことにより、組織の緩みをなくし、新しいことに挑戦して、サービスの向上に努める誘因を高め、同時に赤字を生み出さないような財務構造をもたらすことでした。

実際、それまでの国鉄については、相当ひどいことが報道されていました。私の記憶しているところでは、国鉄には子会社がたくさんあり、そこには国鉄の昔の職員が天下り、国鉄で利用するハンガーをその子会社から調達して、一個が一〇〇〇円を超えるような高い値段で購入されていたという話です。競争原理にさらされていない親方日の丸の組織では、組織の人たちの利益を守るために経営がゆがむということの典型的な例でしょう。ちなみに日本道路公団の民営化が論議されていますが、そこでも子会社との関係が大きな問題として取り沙汰されているのは、国鉄と似ているかもしれません。

民営化によってJRに変わったことで、どのような効果がもたらされたかについてはいろいろな議論があります。民営化したJRは、競争原理にさらされることにより、これまで以上に積極的に、さまざまな経営活動に挑戦しています。

JR東日本の例を見ると、以前にも増した鉄道の相互乗り入れや、多様なサービスによって利用者の便宜を図るだけでなく、駅前の再開発による百貨店の誘致や、ICカードを使ったSuicaのような新しいビジネスにも積極的に挑戦しています。そして相当高い利益を上げ、これまで累積していた国鉄債務の返済に努めています。多くの人が国鉄の民営化は結果として大きな成功であったと考えています。

こうした動きは、さまざまなところで起きています。かつては公的な組織の中で日本の電話を運営していた電電公社も、民営化され、NTTという民間会社に変わりました。それとともに、新規企業の通信分野への参入も促進され、日本の通信の状況は大きく変わってきました。

結果的には、八〇年代以降、通信の世界ではインターネットの普及や携帯電話の導入、あるいは国際的なレベルでの通信業の再編などがあり、民営化と規制緩和を行うことなくしては、大きな技術や国際的な産業のトレンドの変更に対応することはできなかったと思われます。これも民営化、規制緩和の大きな貢献だろうと考えます。それに続く形で、郵政や高速道路といった、これまで公的な分野で行われていた分野でも民営化を進めていくべきであるという議論が強まり、今後、その動向が注目されます。

(2) 規制緩和の経済学

規制緩和という形で、これまで政府が行ってきたさまざまな規制を撤廃し、あるいは改革する動きも多くの分野で見られます。運輸、金融、通信、流通、医療・介護、都市開発などは、規制緩和が積極的に行われようとしている代表的な分野でしょう。規制緩和の目的は、政府による規制によって、企業の自主的な経営や活発な競争が妨げられることがないように、できるだけ自由にすることにあります。

規制緩和の例としてよく取り上げられるものに、ヤマト運輸の宅配便のケースがあります。それまで小口荷物については郵便局がかなり大きなシェアを持っていましたが、ヤマト運輸は宅配事業というビジネスを考え、事業化に向けて準備を進めてきました。しかし、トラック事業は運輸省（現在の国土交通省）の厳しい規制の下にあり、ヤマト運輸としては宅配事業を進めにくい状況にありました。当時のヤマト運輸の経営者であった小倉昌男氏は、行政訴訟を行う覚悟までして、宅配事業を始めようとしたのです。

結果的には、いろいろな規制緩和の中で宅配事業は急速に伸び、現在の日本の産業や日常の生活の中で、宅配便のない状況を考えることは不可能になっています。規制緩和の中で民間企業が自主的に新しいビジネスを起こすのを促進していくことが、経済や社会の健全な発展のためにいかに重要であるかがわかると思います。

2　市場メカニズムを科学する

(1)　まず資源配分から始めよう

以上、民営化や規制緩和で市場のメカニズムを利用することが重要であることの例を見てきました。これを経済学的な表現を使っていうと、民間企業の自由な活動に任せて、市場原理を利用すれば、最適な資源配分が実現できるということになります。この資源配分という考え方については少し説明が必要でしょう。

経済の中ではさまざまな活動が行われています。企業などは、資本、労働、天然資源、土地

図４－１　経済の循環

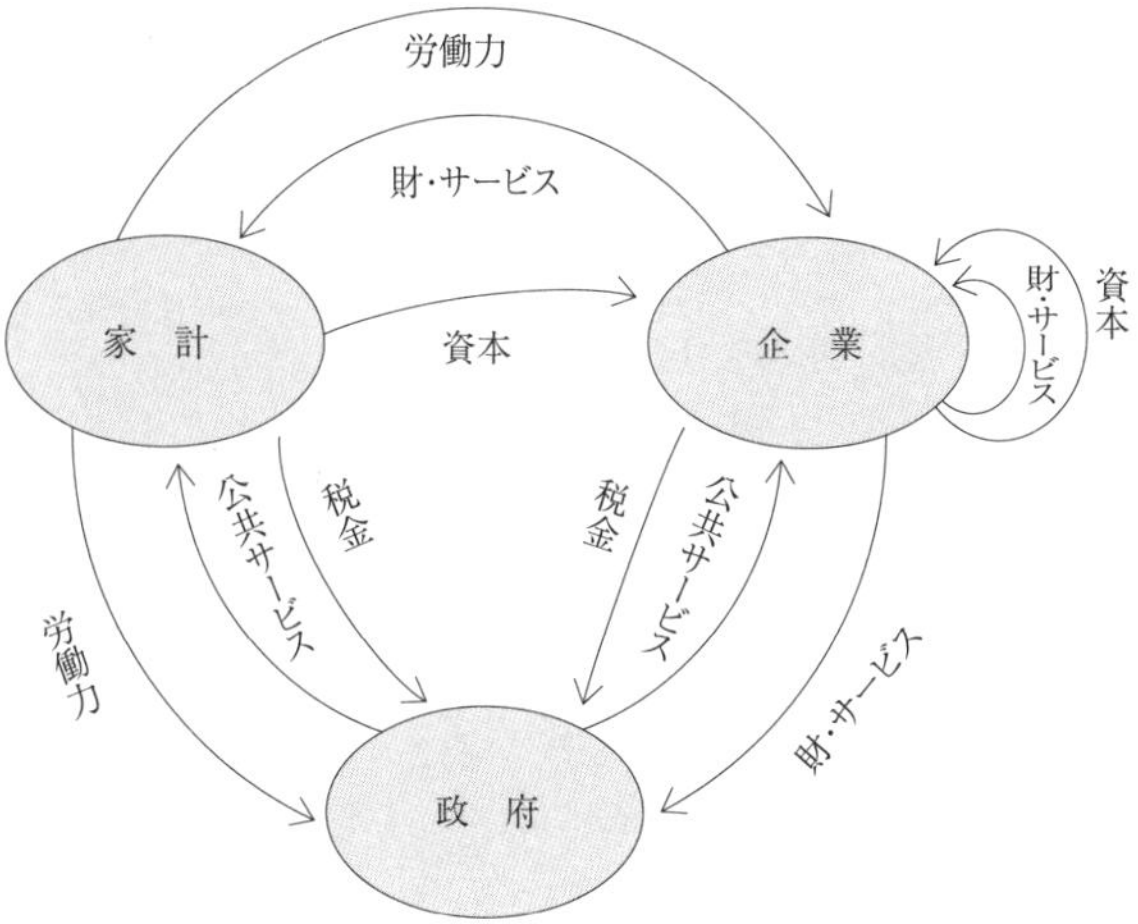

といった経済資源（これらを生産要素あるいは生産資源と呼ぶことがあります）を利用し、さまざまな生産活動を行っています。生産されたものは、流通ルートなどを通って消費者や企業などに分配され、消費者はそれらの財やサービスを消費しています。経済の中で行われている、生産、分配、流通、消費、投資などの活動を総称して、資源配分と呼ぶことがあります。

つまり、資源配分というのは、経済の中にある生産要素や生産資源をどのような形で生産や消費に結びつけていくかということにほかならないのです。

資源配分が効率的に行われることは、経済の豊かさを考える上で非常に重要な意味を持っています。非効率的な資源配分の状況の例を挙げると、大量の失業者が出るような経済状況、生産性の低い企業や工場に多くの生産資源が使われてしまうような場合（たとえば国営工場）、財やサービスが本来必要とする人に回っていかないような状況、流通の不備あるいは恣意的な財の配分などによって起こるロスや無駄、技術革新など経済を発展させていくために必要な活動が十分行えないような状況です。こうしたことが起こっているときには、資源配分が効率的に行われているとは考えられません。

(2) 好ましい資源配分を実現する条件

以上述べたようなことが起こらない形で、いかに効率的に資源を配分させるかが重要です。そのことを実現するために、市場メカニズム、あるいは価格メカニズムが非常に重要になるというのが経済学の基本的な考え方です。すべての問題を市場メカニズムが解決してくれるわけではありません。しかし、大半の問題については、自由な経済活動や市場の調整メカニズムが解決してくれると考えることができます。

具体的には、市場での自由な活動、企業間の競争、価格を見た上での消費者の行動や、その結果として起こる消費者間の調整というものは、次のようなメカニズムを通じて好ましい資源配分に結びついていくと考えられます。

①企業間では利潤をめぐって厳しい競争が繰り広げられ、その結果として、生産性の高い企

業、あるいは、より効率的な活動を行っている企業が生き残る。

②その結果として、生産性の高い企業や産業により多くの経済資源が回っていく。

③生産された財やサービスについて、それをより強く欲する人ほど高い価格を支払ってもよいと考えている。結果として、一番高い価格を出してもよいと考えている人、すなわち財やサービスを一番欲する人のところに、その財やサービスが回っていく（これが社会主義経済であれは、ビールは配給で配られてしまうので、一番欲しい人のところにビールが行くということには必ずしもならない）。

④競争の結果、同じ商品であれば、より安い価格を提示した企業が有利になるので、競争メカニズムを通じて価格が下がっていく。

⑤不足気味な財やサービスは価格が上昇し始める。それが供給を拡大させていくとともに、需要を抑えていく。

⑥余りぎみの財やサービスは、逆に価格が下落し始め、それが需要を拡大させていくとともに、供給を抑えていく。

⑦さらに、こうした競争の中で企業が生き残っていくための重要な要素が、技術革新や生産性の向上であり、そのために経済成長の原動力である技術や製品の開発が促進される。

以上のようなさまざまなメカニズムを通じて、市場の中では好ましい資源配分に結びつくような動きが見られます。

3　需要・供給曲線を理解しよう

(1)　図には何が隠れているのか

次に、市場メカニズムをできるだけ抽象化してみるための重要な枠組みについて簡単に説明しましょう。それは需要・供給曲線という考え方です。

図4－2に、皆さんもよく目にしたことがあると思われる「需要・供給曲線」が描かれています。縦軸には価格、横軸には特定の財の需要と供給の量がとってあります。右下がりの曲線Dは需要曲線で、この曲線に沿って右下にいくほど、価格は下がり、そのことによって需要が増えていくという関係があらわされています。他方、右上がりのSは供給曲線で、この線に沿って右に上がっていくにしたがって、価格が上昇し、それに伴って供給量が増えることをあらわしています。

この図で最も重要なのは、需要曲線と供給曲線が交わるEという点では、価格が縦軸のP^*となり、そこで需要と供給が一致していることです。需要と供給が一致する点Eを均衡点といい、そこでの価格P^*を均衡価格といいます。

図4－2　需要曲線と供給曲線

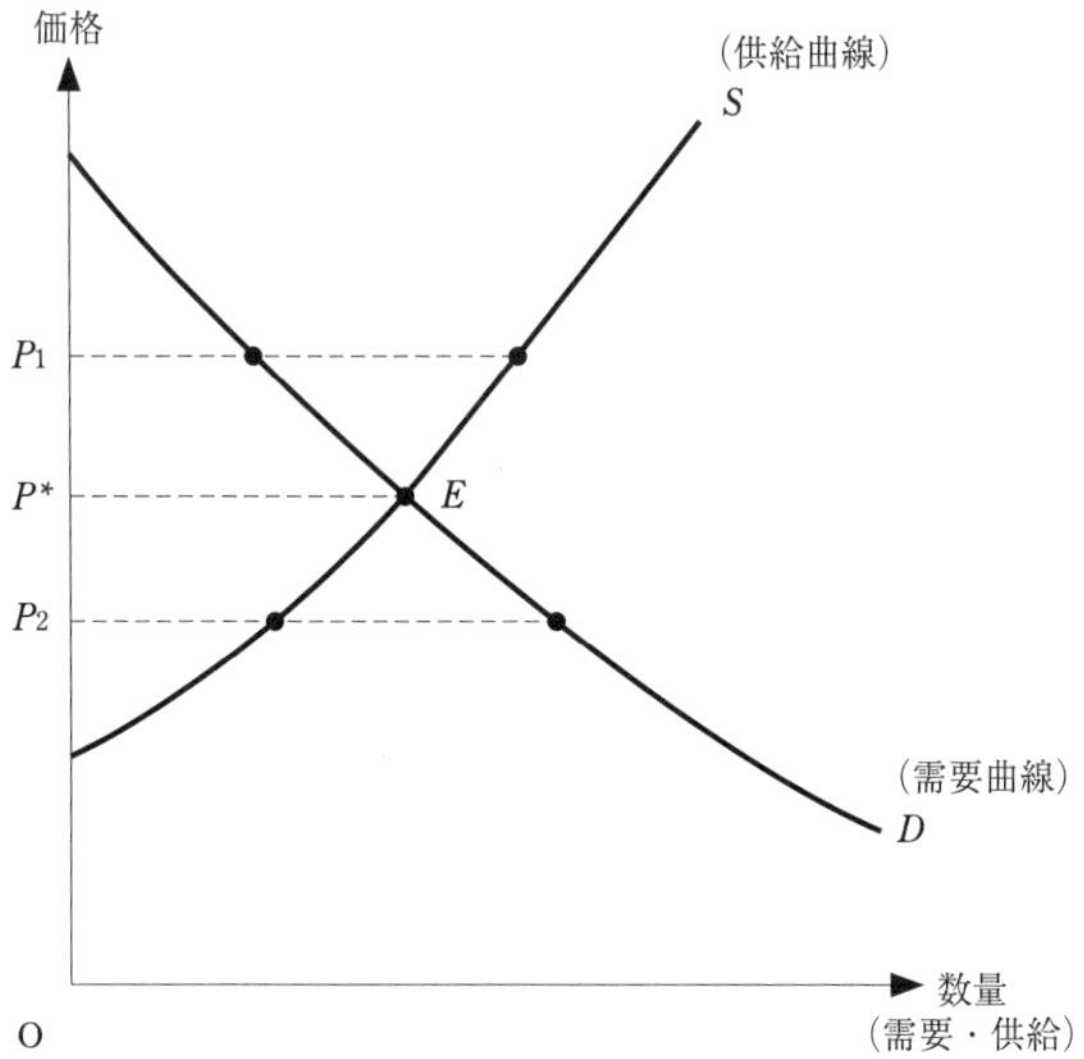

実はこの図の背後にはさまざまな重要なことが隠されています。本書のような入門書で詳細に立ち入った話をすることは避けますが、いくつか重要なポイントについてコメントしておきたいと思います。

一つは、既に述べた、需要と供給がバランスしていないときには、価格が調整することによって、需要のバランスが実現されるというメカニズムです。図の縦軸にとってあるP_1という価格を見てください。これは先程の均衡価格P^*よりも高めにとってありますが、このように高い価格の下では、供給が需要よりも大きくなってしまいます。したがって、もしP_1というような価格がマーケットでついている状況だと、供給が需要より多いということで、この財は過剰気味になります。過剰な財については価格が次第に低下していくと考えられます。価格が低下していけば、供給は抑えられ、需要は増えていくということで、供給過剰の状況は解消されます。

図の縦軸のP_2から右横に目線を動かしてみてください。このように低い価格のときには、需要が供給よりも大きくなっていることがわかります。この場合は、むしろ商品が足りなくなるような状況です。商品が足りないような状況では、価格は次第に上がっていくことになります。価格が上昇していく過程で、供給が増え、需要が減っていくということで、需要の超過状況は解消されていきます。

このような調整も含めて考えて、最終的には、図のEという均衡点、あるいはそこでの均衡価格P^*に落ち着くことが考えられるわけです。以上のような需給のアンバランスに対応した価格の調整によって、最終的に均衡点にたどり着くというメカニズムは、政策担当者などによって恣意的に行われるのではなく、市場に参加するさまざまな人々の自律的な行動の結果として起きてくるのです。アダム・スミスは、神の見えざる手によって市場は調整されるというような表現を使いましたが、まさに誰にも見えないものによって価格の調整が起こり、最終的には需給がバランスするところに落ち着くのです。

図４－３　労働市場と資金市場の需要・供給曲線

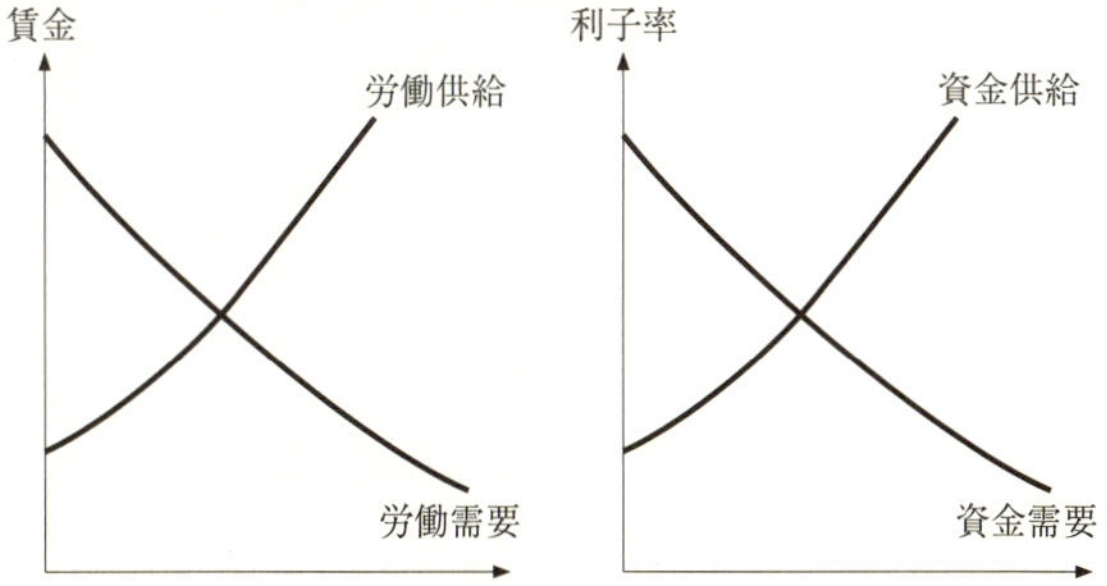

(2)　需要と供給の考え方はさまざまに応用できる

需要と供給が価格の調整によってバランスするという現象は、あらゆる財やサービスで起きることです。自動車、鉄鋼、石油、マンション、コメ、牛肉、そのほかどんなものでも、公的な介入や規制がない限りは、すべての財について需要と供給がバランスするような形で価格の調整が起こっています。さらにいえば、この「需要・供給曲線」は、今挙げたような目に見える財だけではなく、労働あるいは資金といったものにも当てはまります。

図４－３に労働市場と資金市場の需要曲線と供給曲線を描いてみました。労働の価格は賃金になり、需要は労働需要、つまり企業による労働者の雇用となります。供給は労働供給、労働者による労働市場への参加と読み替えることができます。

また、資金市場を舞台と考えるのであれば、縦軸にとられる価格は資金の価格である利子率、供給曲線は資金供給者による資金の供給（たとえば銀行市場であれば銀行への預金量）、それに対して需要曲線は資金に対する需要ということになり、銀行のローンに対する企業などの資金需要という形であらわされます。資金供給と資金需要も、最終的にバランスするような形で金利が調整するということになります。

(3) 需要曲線の主役は消費者

図4―4で需要曲線として描かれたDという曲線の背後には、さまざまな消費者のニーズが隠されています。簡単にいえば、縦軸にとられている価格は、その商品を購入したり需要しようとしている人のニーズをあらわしていることになります。

ハンバーガーが一個二〇〇円で売られているとしたときに、それを購入する人は、ハンバーガーを食べることに対して、二〇〇円か、あるいはそれ以上の価値を見いだしている人にほかなりません。もしハンバーガーに一五〇円の価値しか見いだしていない人がいるとすれば、その人が二〇〇円という金額を支払って買うことはないでしょう。あるいはハンバーガーを食べることに三〇〇円以上の価値を見いだしている人がいるとすれば、二〇〇円であれば喜んで買って食べるでしょう。

需要曲線として描かれたこの曲線は、消費者の消費に対する評価をあらわした結果と見ることもできます。需要曲線Dにしたがって右に行くほど需要量が増えていくというのは、価格が

図４－４　需要曲線の上で見る消費者の評価

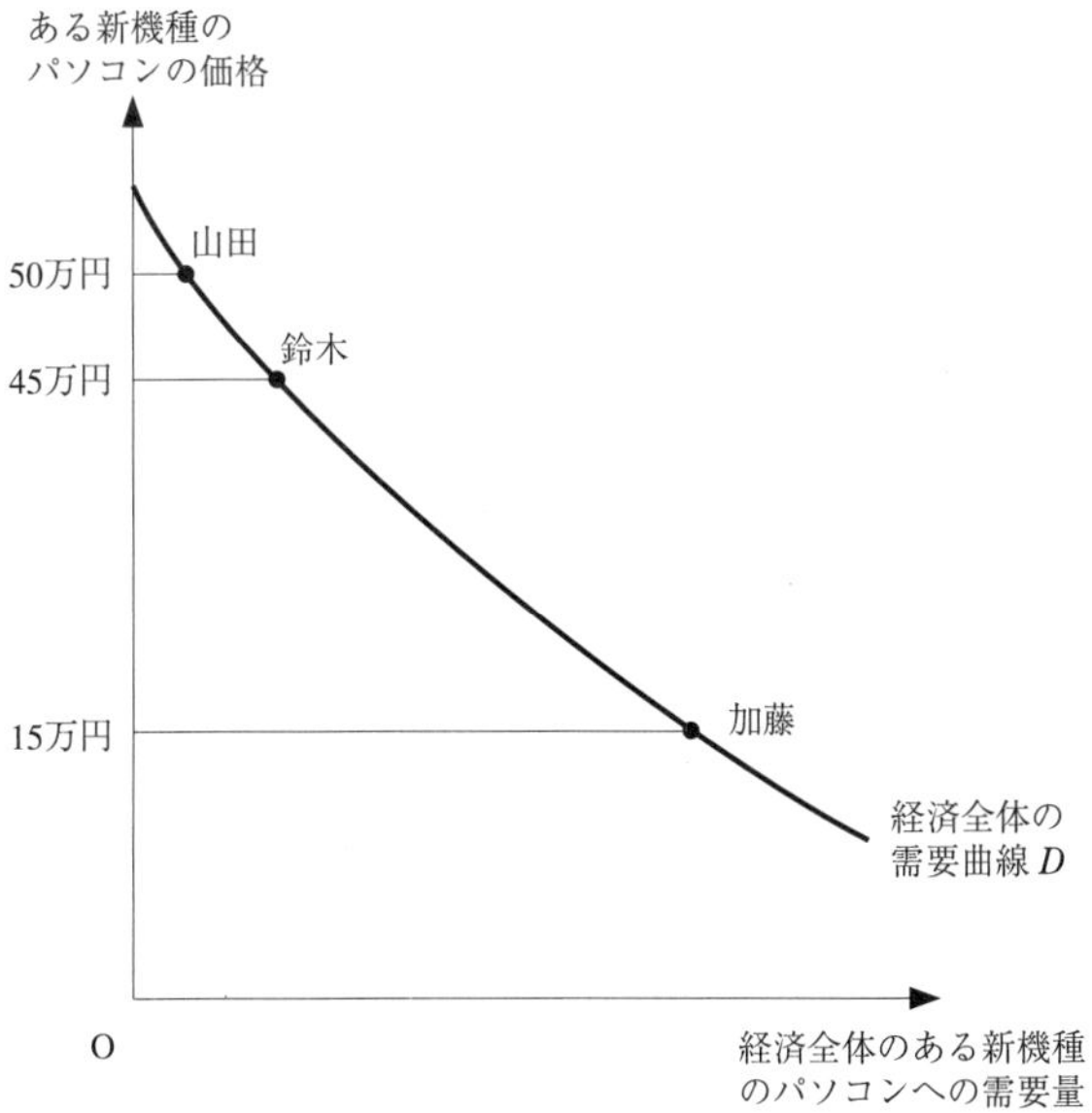

ある新機種のパソコンが出たとき、それを購入する人は通常は１台しか買わないだろう。この図で、山田さんは50万円出してもよいと考えている。鈴木さんは45万円、加藤さんは15万円だ。もしこのパソコンの価格が30万円なら、山田さんと鈴木さんは購入するが、加藤さんは購入しない。この図から読み取れるように、需要曲線は消費者のその財やサービスについての評価額をあらわしている。

安くなっていけばなっていくほど、その商品を買いたいと思う人が増えていることをあらわしています。つまり、需要曲線というのは、消費者によるその財への評価をあらわしていると考えることができます。図4－4は、この点を図の上で説明したものです。

(4) 供給曲線の主役は企業

一方、供給曲線の背後には、この財を供給しているさまざまな企業があると考えてください。企業は財をどれだけ供給しようかと考えるとき、当然、財を供給するための費用を考慮に入れて行動するはずです。乱暴な言い方をすれば、価格に比べて費用が安ければ、その財を供給しようとするだろうし、価格に比べて費用が高ければ、財を供給しようとはしないわけです。

供給曲線が右上がりになっていて、価格が上がれば上がるほど供給が増えているのは、より高い価格であればあるほど、多少費用が高くても採算が合うので、これを供給する企業は増えるとともに、個々の企業もよりたくさん供給しようとするからです。供給曲線は企業の費用をあらわしています。

この本ではそこまで踏み込んで議論はしませんが、需要曲線は人々の財に対する評価、供給曲線は財を供給するための費用をあらわしているということでもあるので、需要曲線や供給曲線を詳しく分析していくことにより、さらにさまざまな経済分析をすることが可能になります。

図4－5　コメ市場を例として見た需給曲線上の評価

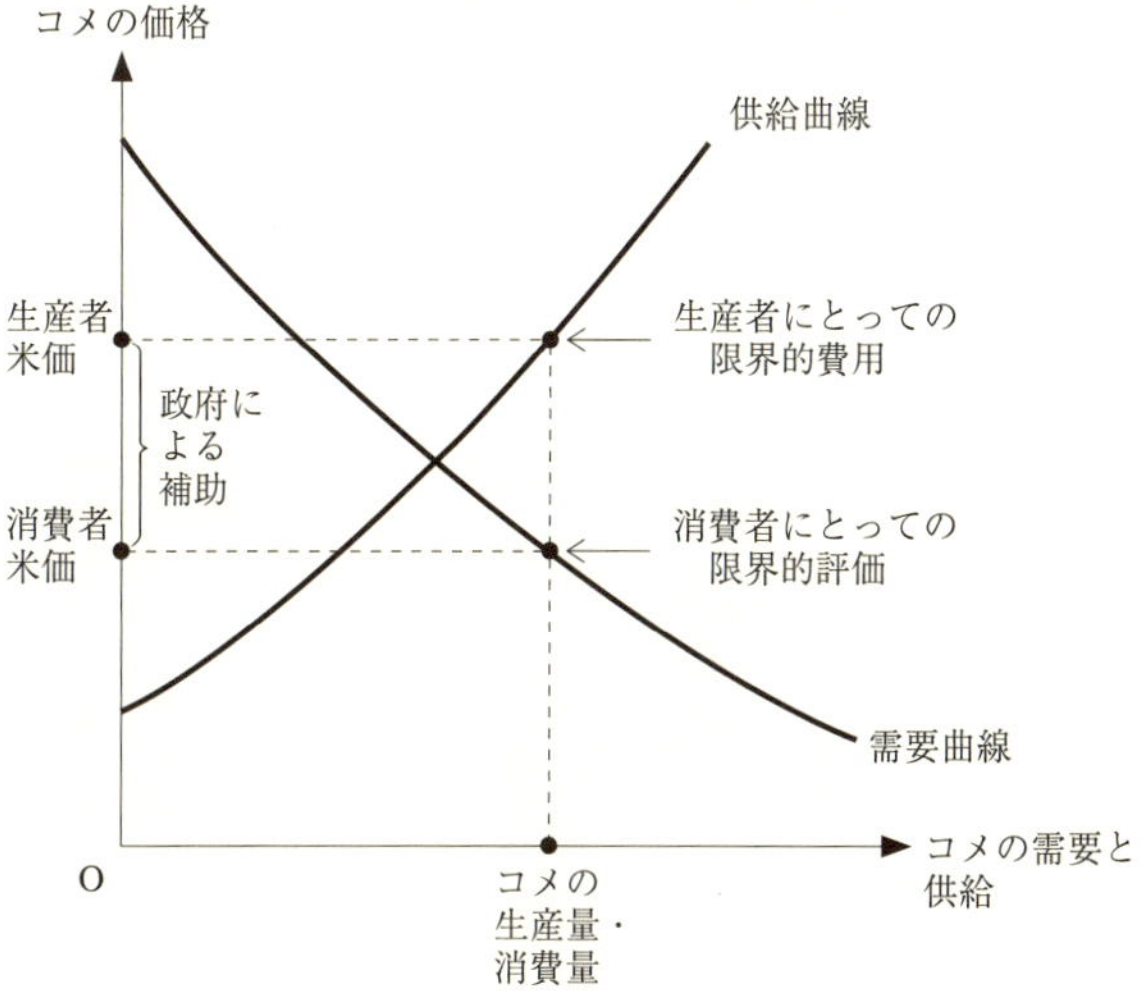

この図はコメの市場を単純化したものであるが、生産者が受け取る金額（生産者米価）が、消費者が支払う金額（消費者米価）より高く設定されている。その差額は政府による補助で埋めている。この場合には図にも描かれているように、高い生産者価格につられて生産コストが消費者の評価よりも高くなるところまで、生産量が過大になっている。

たとえば日本のコメの需要と供給を考えるとき、コメの需要曲線を見ることで、国内の消費者がコメを消費することに対してどの程度のおカネを出してもいいと考えているかを読み取ることができます。

また、供給曲線の動きを見ることによって、日本の農家がコメを供給するために、どの程度のコストを負担しても構わないと考えているかを読み取ることができます。あるいは、どの程度コストがかかるかということもあらわしているということになります。したがって、コメの輸入制限をしたり、あるいはコメの生産のための補助金を出すことが、結果的には消費者にどれだけの負担を強い、生産者にどれだけの便益を提供するかということも読み取ることができるわけです（図4－5）。

現実に食料問題の専門家の中には、需要曲線や供給曲線を利用しながら便益や費用の計算をする人もいます。それが社会全体にとってどの程度意味のある政策かを判断する上でも、こうした図を用いることは非常に重要な意味を持っています。

4　市場メカニズムを解剖する

(1)　計画経済はこうして破綻した

需要曲線・供給曲線を使って、市場でどのような調整が行われているかについて簡単に触れてきましたが、次にこの考え方をもう少し発展させて、市場メカニズムでどういう資源配分が行われているかを詳しく述べたいと思います。

図4－6の二つの図を見てください。(A)は計画経済の下で、(B)は市場経済の下でどのような資源配分が行われているかを例示したものです。

まず計画経済から見てみましょう。かつてのソビエト連邦や中国のような国は、社会主義経

図４－６　市場経済と計画経済

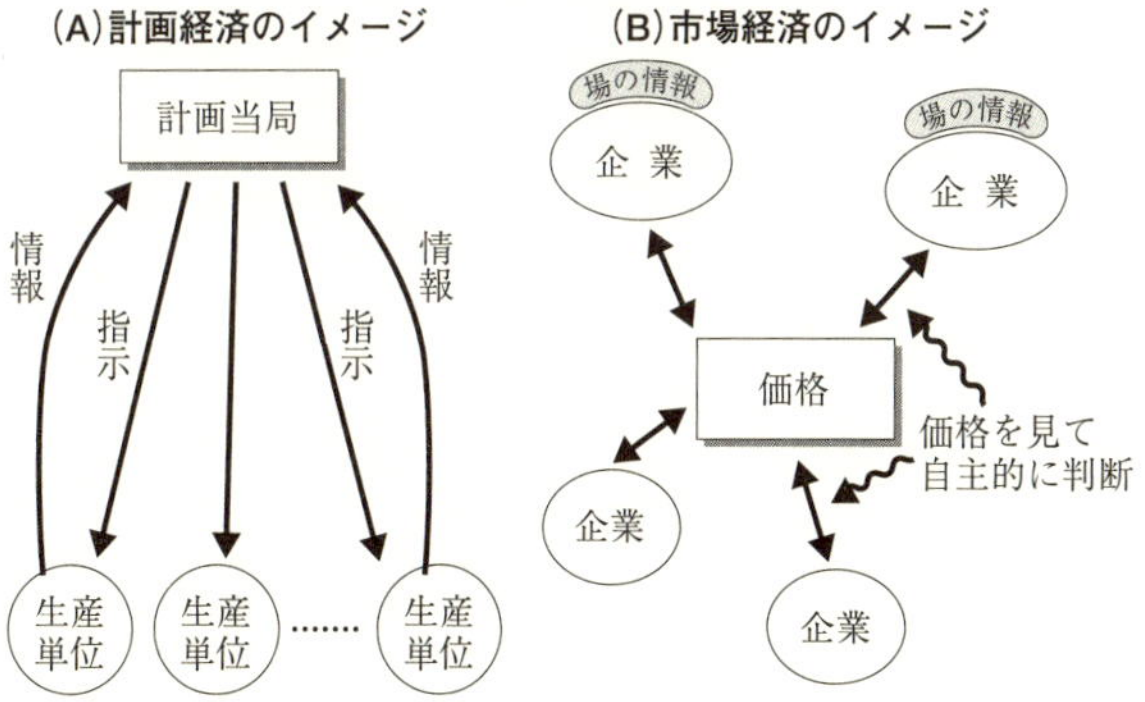

済として計画経済を行っていました。計画経済の下では、政府が生産や分配や消費の計画を立て、その計画に基づいて、実際に生産や流通を行ってきました。社会主義の時代のソ連や中国の政府の組織を見ると、多くの部門があります。たとえば鉄鋼を扱う部門、石炭を扱う部門、日用雑貨を扱う部門、電力を扱う部門などが、それぞれの担当分野の生産計画や消費計画、投資計画を立てていきます。個々の部門の計画を中央にすべてあげていって、最終的に国家全体としての経済計画を立てていくのです。

計画経済の下では、全国にあるさまざまな工場や生産現場に向けて、毎月、あるいは毎年の計画生産量や、そのための原材料の計画が立てられることになります。たとえば、ある工場にどれだけの原材料を持っていって、一年間にどれだけのテレビを生産するかというような計画が立てられていくわけです。

どの工場にどれだけの原材料を割り当て、どの産業でどれだけのものをつくるのかということは、最終的には国家計画の中で決められていくことになります。計画された商品は、これまた国家計画の中で、個々の消費者に対してどれだけ分配されていくかが決められます。衣料品や食料品のような日常生活に不可欠のものは、できるだけ平等に分配されるような配慮がなされているはずです。

計画経済の運営がきちんとなされるための最大のポイントは、計画を実際に運営したり実行したりする当局が、末端の工場や消費者の持っている情報を正しく把握しているかどうかによります。一つひとつの工場の技術水準やコストがどの程度の大きさなのか、あるいは国民一人ひとりがどういう財をどれだけ欲しているのか、彼らがどれだけまじめに働いているのかなど、こうしたことを全部把握しなくてはなりません。しかし、現実にはこれは非常に困難だろうと思います。それだけではなく、現場の工場や個人は、自らの持っている情報を計画当局に正しく伝える誘因も持ち合わせていません。

たとえば、各地域の工場の経営を任されている役人は、自分のキャリアの中でたまたまその工場に来ているだけで、これからさらに出世を望むとすれば、自分の工場の成果をできるだけよく見せようとするでしょう。したがって、成果を過大に申告したり、費用を必要以上に低く申告したりするかもしれません。そうした過大申告で、自分の担当部門の業績をよく見せようとするのです。

このようなことが起こった結果として、中央に正しい情報が行かないだけでなく、本来それが不要であるような工場や個人に対して多くの資源が回されることにもなるでしょう。

一九八〇年代の前半、モスクワで、テレビが爆発して火災になるという事故が続いたことがあります（以下の議論は、ミルグロム・ロバーツ『組織の経済学』〈NTT出版〉を参考にしている）。原因を調べてわかったことは、テレビ工場の計画担当者が、自分の工場の生産計画を過大に見積もったため、その目標達成のために、テレビの増産を現場に厳しく指示したことのようです。現場の担当者にとっては、とにかくテレビをつくって出荷することが大事なので、部品がうまくはまらないときには、金槌でたたいて押し込んだりというような無謀なつくり方をしたのかもしれません。その結果、不良品のテレビが次々と生産され、それがモスクワの火事を引き起こしたといわれています。計画経済の下では、計画を過大に出すこと、計画を形式的にでもいいから実現しようとする誘因が働くこと等々で、正しい情報に基づいた資源配分を実現することが非常に難しいことがわかります。

このような事例を挙げるまでもなく、八九年十一月にベルリンの壁が崩壊した時点で、社会主義経済、計画経済はうまくいかないことは歴史的にも証明されたことであり、皆さんもよくご存じだと思います。

(2) すべての情報は価格に

では、市場経済ならば資源配分はうまくいくのでしょうか。図4－6の(B)に示したように、市場経済の下での資源配分は、計画経済とはまったく逆の方向のものとなります。計画経済の場合には、計画当局からのトップダウンの形で資源配分が行われますが、市場経済の場合、実際の資源配分を決めるのは一つひとつの企業であり、あるいは一人ひとりの消費者です。末端の個々の経済主体の行動が集約されて、経済全体の資源配分につながっていくのです。そして、市場経済において資源配分を決める上で極めて重要な役割を果たしているのが、価格ということになります。

消費者はどの財をどれだけ消費しようと考えるのでしょうか。そのとき重要になるのは、消費者が買おうと思う財の価格がいくらかということです。自分が強く欲するものについては、消費者は買おうとするでしょう。自分があまり強く欲しないものについては、消費者の評価よりも価格が高くなりますから、買おうとしないはずです。

企業は、価格を見て、どの財をどれだけ生産するかを決めていきます。ある財を非常に安く生産できる企業は、市場の価格より安く提供できるので、資本や労働や土地といった生産要素をさらに調達しても、生産を増やそうとするでしょう。あまり安いコストで生産できないような企業は、市場で成立している価格では供給できないことになります。さまざまな財の価格を参考にしながら、さまざまな企業がどの財をどれだけ供給するかを決めていきます。

最終的に、さまざまな企業が生産した財やサービスと、さまざまな人が需要しようとしている財やサービスの需要と供給のバランスは、先程も説明したような価格の調整によって行われます。供給が需要より過大になっている財やサービスは価格が下がり、需要が供給よりも過大になっている財は価格が上がることで、需給が調整されます。

結果的に市場経済の下では、価格が調整することによって需要と供給がバランスしているだけではなく、それをつくるための費用の低い企業が生産をし、それを最も高く需要する消費者が消費するという形で資源配分が行われます。

重要なことは、この最終的な状況に行くため、誰かが指示をしているのではないことです。個々の企業や消費者は自らの利己的な利益を満足させるために行動し、価格という調整メカニズムに導かれて、全体調和をもたらしているわけです。アダム・スミスが「神の見えざる手」といったのも、まさにこの価格調整メカニズムです。「企業も個人も自分の利己的な利益に基づいて行動してもらって構わない。しかし、それが市場メカニズムや神の手に導かれて、最終的に、社会全体では資源配分が最適化することになる」という意味で、最適な資源配分を達成するようなメカニズムが働いているのです。

市場経済の下で自由な経済活動の重要性を主張したオーストリアの経済学者ハイエクは、

「場の情報」という表現を使っています。「経済の運営にとって必要な情報は、結局、個人がその商品をどのように評価しているのか、あるいは生産するためにどういうコストがかかるのかという、一つひとつの細かい情報であり、こうした場の情報、つまり末端の隅々にある情報を最大限活用することが、経済運営にとって最も重要である。情報を持っているのは個々の企業や消費者だから、それを中央に集めるのは不可能である。したがって、情報を持っている個々の消費者や企業に自由に活動してもらうことが重要であり、個々の経済主体がばらばらに行動しても、価格による調整を通じて社会全体のバランスが実現する」と、ハイエクは主張しています。先に触れたように、アダム・スミスが夜警国家論として、「政府が介入すべきは治安を維持するための警察組織のようなものだけである。あとはすべて民間に任せたらいい」と主張しているのも、市場メカニズムの持つ重要性を強調した上での発言だろうと思います。

5　市場はこうして失敗する

市場が効率的な資源配分を実現するということは、強調してもし過ぎることはないと考えられます。ただ、すべての問題が市場によって解決できるわけではありません。この点についてはまた、下巻のⅥ章で述べますが、ここでは簡単にコメントしておきたいと思います。

(1)　独占・寡占によるゆがみ

ある状況においては、市場メカニズムは資源配分を大きく狂わせることが知られています。これを一般的に市場の失敗といいます。市場の失敗はさまざまな状況によって起こりますが、いくつかの重要な例を挙げてみましょう。

第一に、独占、あるいは寡占のように、一つの産業がごく少数の企業によって支配されているときには、これらの企業の利潤追求活動が、結果的には資源配分のゆがみをもたらすことが知られています。これについては下巻のⅦ章で詳しく説明しますが、独占や寡占の弊害を排除するために、独占禁止法があり、その下で公正取引委員会という政府の組織が企業の行動を監視しているのです。

簡単にいってしまえば、市場メカニズムが有効に機能するための一つの重要な前提条件は、より多くの企業が厳しい競争を行っていることであり、一つの産業がごく少数の企業によって支配されるような状況は、競争が恣意的にゆがめられやすいのです。

(2)　外部効果という盲点

市場の失敗が起こる二つ目の状況は、公害や地球環境の破壊などに代表される外部効果（外部経済あるいは外部不経済）が生じる場合です。地球温暖化を例に挙げてみましょう。一人ひ

表４－１　外部効果の代表的な事例

・公害・環境破壊・騒音など：経済活動によって環境が破壊される
・混雑現象：道路混雑以外に水産資源の枯渇なども含まれる
・技術波及：技術革新によって経済が恩恵を受ける現象
・集積効果：いろいろな機能が集まることで生まれる都市の魅力や、多くの企業が集まることで出てくる産業集積など

とりの消費者や個々の企業が経済活動をする中で、ガソリンや石炭のような化石燃料を利用すればするほど、大気中に発生するCO_2の量は増えます。これが地球温暖化を起こすといわれています。個々の経済主体がそれぞれ勝手な行動をとることが、結果的に地球全体の環境を破壊しているのです。

これは一つひとつの経済主体の行動が市場を通じない形で（この場合にはCO_2というものを通じて）、地球上のさまざまなところに影響を及ぼすからです。このように市場を通じないで、直接的にいろいろな形で及ぶ影響のことを、外部効果と呼びます（表４－１）。外部効果には、好ましいもの好ましくないもの、さまざまな影響があります。好ましい外部効果を外部経済と呼び、好ましくない外部効果を外部不経済と呼ぶことがあります。

たとえば新しい技術開発に成功した企業があった場合、開発された技術は往々にして、目に見える形、見えない形両面で、多様なルートを通じて他の経済主体にさまざまな影響を及ぼします。あるいは、ある地域で産業が発展すると、部品や原材料を供給する、地域のネットワークが拡大してきます。それが結果的には、そこに立地している企業に大きなメリットを与えることがあります（集積効果といいます）。技術革新や産業のネットワークによって、個々にプラスの影響が働くような場合を外部経済といいます。ある人が家の前に、自分の楽しみのために花を植えたら、それが通行人の目を楽しませてくれるというのも、外部経済の一つの例です。

それに対して、先程触れたような公害や地球環境の破壊、あるいは汚染といった問題は、マイナスの外部効果である外部不経済の典型的な例です。

外部不経済の事例は、ほかにも多くあります。たとえば高速道路の混雑なども、典型的な現象です。多くの自動車が高速道路に殺到する結果、高速道路の渋滞は起こりますが、高速道路の渋滞の加害者も被害者も高速道路に乗ったドライバーであるという意味では、お互いが影響を及ぼし合うマイナスの効果です。こうした現象を混雑現象といいます。ある水域に魚を捕るためにあまりにも多くの漁船が集中すると、結果的に個々の漁船の捕獲量が減少するだけでなく、その地域の水産資源の枯渇にもつながりかねないといったことも、その一つの例です。

実際の経済活動や社会活動は、市場の外を通じてさまざまな外部効果をもたらすために、資源配分に大きなゆがみが発生する可能性があります。これをどのように是正していくかは、単純な市場は民間の経済活動に任せればいいということを超えた重要な経済問題として、提起されています。

(3) 情報は行き渡っているか？

三つ目に市場の失敗として起こる重要なケースは、情報をめぐるものです。実際の経済活動や経済取引においては、取引相手について完全な情報を持っているわけではありません。意思決定は不完全な情報の下で行われることが多く、不完全な情報の下で行われる取引の中には、資源配分上、好ましくない影響を及ぼすものが少なくありません。

この三十年ぐらいの間、不完全情報の経済学という、急激に発展してきた分野がこの問題を明らかにしてきました。金融取引、雇用、契約、企業間関係等の分野では、こうした厄介な問題が発生します。不完全情報の経済現象については、少し高度なテーマになるのでこの本では詳しく取り上げませんが、こうした問題も市場の失敗を考える上では非常に重要な意味を持ちます。

[V]

ゲーム理論の考え方

1　重要性を増すゲーム理論

(1)　あらゆる分析の基盤に

最近、ゲーム理論という言葉を耳にする機会が増えてきたのではないでしょうか。書店の経済学のコーナーは、入門書から高度な教科書に至るまでゲーム理論に関する本であふれています。実際、この三十年間のゲーム理論の発展には、目を見張るものがあります。もはやゲーム理論なしに経済学を語ることは不可能な状況になっています。最先端の理論的な研究業績の多くは、ゲーム理論の分析枠組みの下で構築されているものが少なくありません。

ゲーム理論は、社会学、生物学、あるいは法律、国際関係等々、さまざまな分野における分析の基礎にもなりつつあります。将来は、大学で専門分野を教えるための基礎的な学問として、まず最初にゲーム理論を教えるべきであると主張する人さえいます。微分や積分ができないと自然科学のさまざまな分野を学ぶことが難しいのと同じように、ゲーム理論を知らずして経済学や社会学や国際関係論について学ぶことは難しくなるのかもしれません。

ゲーム理論を本格的に勉強するためには、それなりの高度な、抽象的な議論をしなければなりません。この本でそこまで立ち入ることはできませんが、具体的な例を使って、ゲーム理論がどのような考え方であるかを説明しておくことは重要だろうと思います。この章では、ごく簡単な事例を使いながら、ゲーム理論の基本的な見方を紹介するとともに、経済問題の分析にどのように応用できるかを説明したいと思います。

(2) 相手の反応を読む

そもそも経済問題は、ゲーム理論的な考え方に基づいて考えることが必要なものが少なくありません。典型的なケースとして、企業間の競争を考えてみましょう。国内に二つの鉄鋼会社があって、この二つの企業が厳しい競争をしているとします。お互いの行動を見ながら競争しているわけですから、常に相手の反応を考えながら行動します。両社を仮に企業A、企業Bとします。企業Aが投資を行って生産規模を拡大しようとするとき、何を考えるでしょうか。企業Aが投資を拡大したとき、企業Bがどのように反応するかが重要になります。

企業Aが投資を行って生産規模を拡大したとき、企業Bがそれを見て、怖じ気づいて生産規模の拡大をしないような状況であれば、企業Aはかえって積極的に設備投資に動くかもしれません。逆に、企業Aが積極的に設備投資をしたら、企業Bもそれに対抗するため、積極的に設備投資をするだろうと企業Aが予想したときは、企業Aはあまり安易に設備投資をすることができないかもしれません。

ここに挙げたのは、非常に単純化した状況にすぎませんが、これからもわかるように、一般的に企業が競争を行うときに常に最も関心を持っているのは、自分の競争相手がどのような行動をしているか、どのように考えているか、あるいは自分の行動に対してどのように反応するか、相手が行おうとする行動に対して自分がどのように反応すると相手が考えているかといった、相互の依存関係だろうと思います。このことを正面から取り上げるために、ゲームの理論が有効な分析手法となります。

2　エッセンスは二つ

(1)　相互作用と合理性の組み合わせ

この章では、いくつかの具体的な例を使ってゲーム理論の分析手法を解説したいと思います。ゲーム理論のエッセンスは、少なくとも次の二つから構成されています。一つは、相互の行動が相手に影響を及ぼすという意味での相互の依存関係が非常に大きな意味を持っているという事実。二つ目は、そうしたことを認識した上で、個々の企業が自分にとって最も合理的に行動するということがどういうことであるか、合理性をかなり深く追求しているということです。

この二つを組み合わせて分析するためには、ゲーム理論が重要です。経済問題の中にはさまざまな相互依存関係が潜んでいますが、ゲーム理論を使ってよく分析される経済問題の例をいくつか挙げてみましょう。

(2) ライバル企業、政府との関係を分析する

第一に、企業間にはさまざまな競争と協調関係が生まれます。先程述べたような投資競争だけでなく、技術開発競争、あるいはライバル企業との競争を有利に運ぶため自分の国の政府を利用する行為、マーケティングや広告活動での競争などがあります。こうした競合関係を分析する上で、ゲーム理論は非常に有効です。

二つ目に、政府と民間の関係を分析する上でもゲーム理論は有効です。たとえばアメリカの鉄鋼産業が、日本や中国のような国からの鉄鋼の輸出の急増に悩まされているとき、その対応策として、アメリカ政府を利用し、中国や日本からの鉄鋼の輸入に対して制限を加えようと考えるかもしれません。アメリカの鉄鋼会社は、保護主義的な政策をとるように政府に積極的に働きかけるでしょう。

ただ、アメリカ政府にとって、保護主義的な政策をとるようなロビーイングに安易に乗るのが必ずしも好ましいこととは限りません。実際、中国や日本からの鉄鋼の輸入制限をする政策をとったとすれば、鉄鋼を使ってアメリカで生産している自動車メーカーのような鉄鋼のユー

ザーにとっては好ましくない影響が及ぶからです。アメリカ政府としても、いろいろなことを考えながら、鉄鋼の輸入制限政策を決めていきます。

このような状況では、実はアメリカの鉄鋼メーカーと政府はある種のゲーム理論で分析するのに好ましいような関係を形成しているわけです。政府と民間の間の政策をめぐるさまざまな相互依存関係を分析する上でも、ゲーム理論は有効な分析手法です。

(3) 企業間関係を解き明かす

三つ目に、企業間の協調関係を分析する上でもゲーム理論は積極的に利用されています。日本の自動車産業が象徴的な例ですが、トヨタやホンダのような組立メーカー

COFFEE BREAK

ロビーイング

多くの産業は業界団体などを通じて、政府への働きかけを行います。こうした活動をロビーイングといいます。業界団体は政府の審議会に参加したり、あるいは政治家や政府関係者に直接的に働きかけをすることで、自分たちの業界に都合のよい方向の政策が行われるように働きかけます。またそうした活動が効果的に行われるように、企業は自分の属する業界団体を支えています。

こうしたロビーイング活動はときに政策を誤った方向にゆがめることもありますが、政策にいろいろな立場の人の意見を反映させるという意味では重要な機能を果たしています。ロビーイング活動は、企業だけでなく、消費者団体、環境保護団体、人権擁護団体、会計士・弁護士や医師など専門職の組織など、多様な形態の組織がかかわっています。

と、そこに部品を提供する部品メーカーの間には、長期的な取引関係が形成されています。部品メーカーや組立メーカーがどのような行動をとるかによって、双方に対して非常に大きな影響を及ぼします。

良好な企業間の関係を維持するために、契約などの手法が利用されますが、契約によってすべての行動が縛られるわけではありません。たとえば部品メーカーは、組立メーカーがどのような行動をとってくるか、あるいは組立メーカーは部品メーカーに協調的に行動してもらうためにはどのようなことをすればいいのかということで、お互いの間の関係を考えながら日々の行動をとっていくでしょう。企業間の関係を分析する上でも、ゲーム理論は重要な役割を果たしています。

3　ゲーム理論の展開

(1)　ゲーム理論はこうして誕生した

数学的な分析手法としてのゲーム理論が確立するはるか昔から、多くの研究者がゲーム理論的な見方の重要性を指摘してきました。経済学の世界でも、寡占的な産業における企業間の相互依存関係はさまざまな形で分析されてきましたが、ゲーム理論が確立するまでは、非常に恣意的なものが少なくありませんでした。

こうした中で、二十世紀の最も偉大な数学者の一人であるといわれている、ハンガリー生まれのジョン・フォン・ノイマンと、オーストリア生まれの経済学者オスカー・モルゲンシュテルンの二人が、アメリカのプリンストン大学を舞台にまとめあげた『ゲームの理論と経済行動』は、ゲーム理論の分析に道を開く上で画期的な役割を果たしました。ノイマンとモルゲンシュテルンは、ゲーム理論的な枠組みを提供することによって、経済問題や社会問題の分析に有効に貢献し得ると考えたのです。

これを受ける形で、ジョン・ナッシュという数学者が、ナッシュ均衡という概念を軸に、ノイマンとモルゲンシュテルンのゲーム理論をさらに発展させました。ナッシュについては、シルヴィア・ナサーというジャーナリストによって書かれた『ビューティフル・マインド』が映画化され、アカデミー賞も受賞したので、ご記憶の方も多いと思います。若くして素晴らしい研究成果を上げたにもかかわらず、その後、精神的な病に苦しみ、さらに何十年か後に奇跡の回復を遂げ、ノーベル賞を受賞したという、大変劇的な人生を歩んだ人です。ナッシュの研究成果を一つのきっかけに、その後、ゲーム理論はさまざまな経済学者によって進展していくことになります。今や多くの経済問題は、ゲーム理論なしに分析することは難しいでしょう。

図5－1　囚人のジレンマ

太郎＼次郎	否認	白状
否認	10 10	15 −10
白状	−10 15	−2 −2

(2)　囚人のジレンマから始めよう

では、実際にゲーム理論というのはどのようなものかを理解するために、最も有名な事例である「囚人のジレンマ」を簡単に説明しておきましょう。図5－1は、囚人のジレンマをあらわす代表的なもので、戦略的表現という形の分析フレームワークであらわされています。

この図には二人のプレーヤーと呼ばれている経済主体がいます。一人を太郎、もう一人を次郎と呼びましょう。囚人のジレンマという名前からもわかるように、この事例は二人の囚人の話だと考えてください。

太郎と次郎は共謀して犯罪を実行しましたが、その後逮捕され、別々のところに監禁（収容）され、連絡をとれない状況です。太郎も次郎も捜査官に罪状を白状するように迫られていますが、二人とも白状しない限りは、二人は罰せられることはありません。しかし、もしどちらか一方が白状してしまえば、それが証拠となって罰せられることになります。この図にはある特殊な状況が例示されています。

それぞれの図の各項目に二つの数字が出ています。左下の数字は太郎の利得と呼ばれ、右上の数字は次郎の利得と呼ばれるものです。表の左側には「否認」と「白状」と書いてありますが、それは太郎の行動をあらわします。つまり、太郎が取り得る行動は、犯罪を否認するか白状するか、の二つしかないということです。同じように、図の上にも「否認」と「白状」と書いてあります。これは次郎にとっても否認か白状かという、二つの行動しかないということをあらわしています。

ここには四つのマスがありますが、結果的に太郎と次郎にとってどのような利得が得られるかは、二人の行動によって決まるということをあらわしています。ちなみに利得というのは、それぞれの人にとっての結果の状況を数値で評価したものと考えてください。利得の数字が高いほど、その人にとっての満足度、ないしは状況がよいものであると理解してください。

表の左上のマスは、太郎も次郎も否認するという状況をあらわしています。そのときは、太郎も次郎も利得は10になっています。つまり、否認を続ける限りは二人とも罰せられることはないわけですから、10の利得が得られるのです。

　それに対して右下のマスは、太郎と次郎がそれぞれ白状するという状況をあらわしています。このときは、二人とも利得はマイナス2になっています。つまり、どちらかが白状してしまうと、罪が認められ、二人とも罰則を受けることになり、利得はマイナス2という低

用　語　解　説

戦略的表現と展開型表現

　本章で例として利用したように、ゲーム理論を図表で表現する方法として２つのものがよく利用されます。一つは図５－２のような形で表現される戦略的表現です。これは、ゲームのプレーヤー（たとえばこの図では企業Ａと企業Ｂ）にどのような戦略（行動）が選択肢としてあるのかが示され、これらのプレーヤーが選択した戦略によって結果的にどのような利得が生まれるのかをあらわしたものです。この図を詳しく検討することで、それぞれの戦略を選択することが、プレーヤーにとってどのような利得をもたらすのか、その利得が相手の戦略によってどのように影響を受けるのかがわかります。

　もう一つよく利用される表現方法が、図５－５で利用したような展開型表現と呼ばれるものです。これは図５－５の説明でも明らかなように、プレーヤーがどのような手番で行動していくのかが明示的にわかるような構造になっています。ゲーム理論では相手に先んじてどのように先手を打っていくのか（コミットメント）ということが重要な意味を持ちますが、この展開型表現ではそうした行動がよく読み取れるのです。

い数字になるわけです。

問題は左下と右上のところです。左下では、太郎と次郎の利得はそれぞれ15とマイナス10という数字になっています。これは、太郎は自白しますが、次郎は否認している状況です。ここでは特殊な状況を考えていて、自白をした場合、即座に解放するという、アメリカでいう一種の司法取引のようなものを想定していただいても結構です。一方、否認した次郎は、相棒の太郎が自白してしまったために罪が確定します。しかも、否認した状態で罪が確定するため罰則は非常に厳しくなり、結果的にマイナス10という利得になるわけです。

つまり、二人とも否認しているときには、しばらく監獄に閉じ込められ、罪の追及を受けるという意味で、厳しい状況の中での利得ということで10の利得が得られますが、左下の場合には、太郎はあっさり罪を認めてしまったためにすぐに解放されて15の利得を得られる代わりに、罪を否認し続けた次郎はマイナス10という罰則を加えられることになるわけです。

この図の右上の欄は、それとちょうど逆の状況をあらわしています。太郎が否認を続けているときに次郎が罪を認めてしまうと、次郎は早く解放されて15の利得を得ますが、太郎は罪の責任をすべて負わされ、マイナス10という非常に厳しい利得を得ることになります。

(3)「相手の靴をはく」

このような状況のときに二人はどういう行動をとるかが、ゲーム理論の考え方につながります。ここで重要なことは、ゲーム理論の世界においては、自分が行動をとるとき、相手がどういう行動をとるかということを常に考えながら行動を決めなければいけないということです。英語で「相手の靴をはく」という表現があります。これを日本人にもわかるように意訳してみると、相手の立場に立って物事を考えてみるということで、ゲーム理論の分析ではこの考え方が重要となります。

太郎の行動を考えてみましょう。太郎にとっての行動は、白状するか、それとも罪を否認し続けるかのどちらかです。太郎と次郎は別々に監禁（収容）されているために、次郎がどのような行動に出るかわかりません。そこで、仮に次郎が白状してしまうとしたら、自分にとってどういうことになるかということを考えます。

仮に次郎が白状すると想定したとき、もし太郎が否認を続けていると、太郎は罪をすべて負うことになるので、マイナス10の利得になってしまいます。しかし、もし次郎が白状することを想定した上で、太郎も白状してしまえば、二人ともマイナス2の利得になるので、太郎にとっての利得はマイナス2になります。つまり、次郎が白状してしまうと想定すると、太郎にとっては否認を続けるよりは白状するほうがより合理的な行動になるわけです。

他方で、もし太郎が次郎は否認を続けてくれると想定した場合には、どうなるでしょうか。この場合には、次郎が否認を続けているときに太郎が白状してしまえば、太郎はすぐに放免されるので、15という非常に高い利得を得られるのに対して、次郎が否認を続けているときに太郎も否認を続けていけば、太郎の利得は10にとどまります。つまり、次郎が否認を続けている場合、太郎にとっては白状するほうが合理的な行動になるわけです。

次郎が否認を続けるか、あるいは白状するか、太郎にはわかりません。ただ、次郎がどちらを選択しても、太郎にとっては白状したほうが合理的な行動になり、結果的に太郎は白状するという行動をとるだろうと、ゲーム理論的には考えるわけです。次郎がどちらの行動をとっても、太郎にとっては白状することが合理的行動となります。このように相手のとる行動いかんにかかわらず特定の行動（戦略）が合理的であるとき、その行動を支配戦略といいます。

太郎と次郎はちょうど対称の状況になっているので、次郎にとってもまったく同じことがいえるでしょう。次郎にとっては、太郎が白状すると想定しても、あるいは否認を続けるということを考えても、結果的には白状することが一番合理的な行動になり、その結果、次郎も白状してしまうでしょう。つまり、白状することが次郎にとっても支配戦略となります。

したがって、お互いにコミュニケーションがとれない状況で、それぞれ相手の行動を思い巡らせながら自分の行動を決めると、結果的に二人とも白状するという行動をとり、二人とも罰せられる、つまりマイナス2の利得しか得られないという状況になるわけです。

　この図からわかるように、実は二人とも否認を続けたほうが、結果的には二人にとってはより高い10の利益が得られるにもかかわらず、それぞれが自分にとって合理的な行動をとると、結果として二人にとって必ずしも好ましくない、マイナス2の利得しか得られないことになります。これが囚人のジレンマといわれるゆえんなのです。お互いが合理的に行動したように見えるにもかかわらず、お互いにとって好ましくない状況が起こるということで、ジレンマが起こっているわけです。

(4) ベストな選択が最悪の結果を生む

　なぜこのようなことが起こるかは、この図を少し深読みしていただくとわかると思います。太郎は、自分にとって一番好ましいことをやろうとしたのです。しかし、太郎が自分にとって好ましいことをやろうとしたことが、次郎に対しては非常に悪い影響を及ぼしているわけです。次郎も、自分にとっていいことをやろうとして合理的に行動したのですが、結果的には太郎に対して非常に悪い影響を及ぼしているわけです。

　結局、お互いが自分にとって好ましいことをやろうとしたことが、相手に対して非常に悪い影響を及ぼし、それが結果的にはお互いにとって悪い状況になったというのが、囚人のジレンマの特徴です。この事例の一つのメッセージは、お互いの行動が影響を及ぼし合っている場合、各人が合理的な行動をとったとしても、必ずしも全体として見たら好ましい結果になるとは限らないということです。

こういう状況に近いケースは珍しくはありません。たとえば甲子園球場でゲームが白熱しているとき、前の人がもうちょっとよく見たいというので立ち上がったとします。立ち上がった人は、ほかの人が座っていれば、立ち上がった分だけよく見えますから、結果的には合理的に見えるでしょう。しかし、前の人が立ち上がれば、後ろの人も立ち上がります。みんなが立ち上がると、また見えなくなって、みんな背伸びをして見ようとします。お互いがそういうことをする結果として、みんなが非常に窮屈な状況で見なければいけないことになります。それならば一斉に座って見たほうが快適に見えるはずですが、各人が近視眼的に合理的に行動しようとすると、結果的に好ましくない状況になってしまいます。こうしたことは、現実の経済現象ではいくらでもあることです。

(5) 囚人のジレンマの実例①——協調・競争する二つの企業

ここまでゲーム理論の世界で最も有名な例である囚人のジレンマについて述べてきましたが、この例の興味深いところは、ゲーム理論の本質的な側面である相互依存の関係から生じる難しい問題を非常に明確な形で示していることに加え、現実に観察されるさまざまな現象もこの例の延長線上で考えることができるという点です。囚人のジレンマの例として考えられる現実の問題を二つほど、追加的に提起してみたいと思います。

一つは、企業間の競争にかかわる例です。仮に今、ある産業で、二つの企業が激しい競争を行っているとしましょう。一つの企業を企業A、もう一つの企業を企業Bと呼ぶことにします。一つの産業で少ない数の企業（この場合には二つしか企業がありません）が競争しているような状況を、寡占と呼びます。囚人の例と同じように、ここでも二つの企業の行動原理は非常に単純な形であらわしてあります。

図5－2にあるように、企業Aの行動は協調と競争の二つで、企業Bも同じように協調と競争の二つの行動が可能であると考えます。

寡占状態にあるケースでは、二つの企業が協調して価格を高めに設定する行動を、一般的にカルテルといいます。この図でも企業Aと企業Bがお互いに協調して価格をあまり下げないような行動をとると、結果として二つの企業の利益は高い水準になります。企業A、企業Bがともに協調した状況は図の左上の欄に対応します。このときには、企業Aも企業Bも利得20を獲得できるとします。

一方、二つの企業がともに競争的な行動をとる場合は、図の右下の欄に対応します。このと

図5－2　企業間競争のゲーム（囚人のジレンマ）

企業B / 企業A	協調的価格設定	競争的価格設定
協調的価格設定	20 20	40 0
競争的価格設定	0 40	2 2

きには互いに厳しい価格引き下げ競争を行っています。二つの企業が互いに厳しい価格競争を行うと、結果的に両方とも利益は非常に低くなってしまいます。ここではそれぞれの利益は2になると考えています。

問題はこの図の左下と右上のところです。たとえば左下の欄は、企業Bが協調的な行動をとっているときに、企業Aが競争的な行動をとる状況に対応します。もし企業Bが協調的な行動をとっているとき、企業Aだけが価格を引き下げていくと、企業Aは企業Bの顧客の多くを奪い取ることが可能になり、結果的に企業Aの利得は40、企業Bの利得は0になってしまいます。このような状況は一般的にはカルテル破りといわれます。ほかの企業が価格を高めに設定して協調的な行動に出ているときに、ある企業だけが価格を引き下げてしまうと、価格を下げた企業に利益が集中することを、この図はあらわしています。

この図の右上の部分は、企業Aと企業Bの行動をちょうど逆にした状況になっています。企業Aが協調的な行動をとっているときに、企業Bが価格を下げて出し抜く競争的な行動をとった結果、企業Bには利得が40入り、企業Aには利得が0しか入らない状況になっています。この図に書いたような二つの企業の関係は、非常に単純化された図式ではありますが、少数の企業の間の関係でしばしば観察されます。

この図と、前に説明した囚人のジレンマの図の利得の数字を比べてみてください。もちろん利得として書かれた数値は同じではありませんが、少し考えていただければわかるように、ゲーム理論的な視点からは両者の間にはほとんど大きな違いはありません。その点、以下でもう少し確認してみましょう。

このような状況にある二つの企業はどのように行動するでしょうか。仮に企業Aの側から見たとき、相手の企業Bがどのような行動をとるかわからないとしたときに、企業Aは企業Bの行動について、いろいろな状況を想定した上で自分の行動を決めるものと考えられます。

仮に企業Bが協調的な行動をとってくると予想されたとき、企業Aはどちらの行動をとるのが好ましいといえるでしょうか。図を見ていただくとわかるように、企業Bが協調的な行動をとっているときに、企業Aも協調的な行動をとれば、企業Aの利得は20となります。もし企業Aが競争的な行動をとれば、企業Aの利得は40に引き上げられることになります。したがって、もし企業Bが協調的な行動をとってくるとすれば、企業Aは競争的な行動をとることが合理的な行動ということになります。

他方、仮に企業Bが競争的な行動をとってくると想定したときには、企業Aの利得はどうなるでしょうか。この場合、企業Aが協調的な行動をとれば、企業Aの利得は0になってしまいますが、企業Aも競争的な行動をとれば、企業Aの利得は2になります。

すなわち、企業Bが競争的な行動をとった場合にも、企業Aにとっては競争的な行動のほうが好ましいことになります。結局、企業Aにとっては、企業Bがどちらの行動をとったとしても、競争的な行動をとることが合理的な行動ということになるわけです。先程使った用語を使えば、企業Aにとっては競争的な行動をとるのが支配戦略になるのです。

このような状況は企業Bにとっても同じです。この図には企業Aと企業Bが対称に描かれているので、企業Aで説明したのと同じような理由により、企業Bも競争的な行動をとることになります。結局、この二つの企業間の寡占状況では、企業Aも企業Bも競争的な行動をとることになり、それぞれの利得は2という非常に低い水準にとどまることになります。もし二つの企業が協調的な行動をとれば、両者の利得は10になるにもかかわらず、それぞれが個別に合理的な行動をとった結果、二人の利得は2という非常に低い水準になってしまいます。

これは先程述べた囚人のジレンマとまったく同じ状況です。それぞれが自分にとって合理的な行動をとった結果、相手に対して好ましくない影響を及ぼし、両者の行動の結果として、両者ともに好ましくない状況に陥ってしまうことになります。この二つの企業間の関係については、後程、カルテルという視点から、もう少し詳しく触れてみたいと思います。

(6) 囚人のジレンマの実例②——軍備拡大競争

囚人のジレンマのもう一つの応用例として、軍事大国間の軍備拡大競争について触れてみたいと思います。今度は、ゲームのプレーヤーは国で、一方をアメリカ、もう一方をソ連と呼ぶことにします。既に歴史的な話になってしまいましたが、一九五〇年代から八〇年代後半まで、世界の政治はアメリカとソ連という軍事大国の間の冷戦によって大きな影響を受けてきました。この冷戦状況を単純な囚人のジレンマ的な例としてあらわしたのが、図5－3です。

一方のプレーヤーであるアメリカにとっての行動は、軍縮と軍拡の二つがあるとします。軍縮というのは軍事支出をあまり増やさない状態で、軍拡というのは軍事支出を増やしていくと考えればいいと思います。一方のゲームのプレーヤーであるソ連にとっても、可能な行動の選

図5－3　軍備拡大のゲーム（囚人のジレンマ）

アメリカ ＼ ソ連	軍縮	軍拡
軍縮	10 10	20 −10
軍拡	−10 20	0 0

択肢は軍縮と軍拡になっています。

この図の左上の欄は、アメリカもソ連も軍縮を選択した場合をあらわしています。そのときのそれぞれの利得は10であると考えます。両方の国が軍縮をすれば、お互いの軍事的な脅威も少ないでしょうし、軍事支出という無駄な支出も少なくて済むので、二つの国の利得は大きくなると考えられます。

一方、右下の欄は、アメリカとソ連の両者が軍拡の行動に走った場合をあらわしています。このときの両者の利得はそれぞれ0であると考えることにします。両者が軍拡に走ると、軍事的なバランスがとれているという意味では、一方の国が著しく不利になるわけではありません。しかし、軍事支出の財政負担が非常に重くなるので、両方が軍縮を選択した左上の欄の状況に比べて、両方が軍拡を選択した右下の欄は、両国の利得が非常に小さくなることをあらわしています。

左下と右上の欄は、片方の国が軍縮路線をとっているときに、もう片方の国が軍拡路線をとった場合、どうなるかをあらわしています。たとえば左下の欄は、ソ連が軍縮を継続している中で、アメリカが軍拡を行ったとき、アメリカの利得は20、ソ連の利得はマイナス10になることを示しています。これはソ連が軍縮を行っているときに、アメリカが軍拡を行えば、結果的に軍事的な勢力バランスが崩れ、アメリカが国際政治の世界において一方的に有利になることを想定しています。したがって、軍事的優位に立ったアメリカの利得は20と高くなり、逆に軍事的に後れをとったソ連の利得はマイナス10と、非常に低くなると想定しています。

右上の欄はこれとちょうど正反対のケースです。アメリカが軍縮をしているときにソ連が軍拡を行った場合、ソ連の利得は20、アメリカの利得はマイナス10になると想定しています。

この場合にも、これまで説明した二つの囚人のジレンマのケースと同じようなことが起こることがわかると思います。アメリカの立場に立ってとるべき行動を考えてみると、仮にソ連が軍縮を行っていると想定される場合、アメリカが軍縮を行えば、アメリカの利得は10、アメリカが軍拡を行えば、アメリカの利得は20になるので、アメリカにとっては軍拡を選択するのが合理的なことになります。

他方、仮にソ連が軍拡を選択した場合、アメリカが軍縮を継続すれば、利得はマイナス10になってしまいますが、アメリカも軍拡を行えば、利得は0という水準になります。したがって、ソ連が軍拡を行うと想定した場合でも、アメリカにとっては軍拡を行うことが合理的な選択になります。結局、ソ連が軍縮をとろうが軍拡をとろうが、アメリカにとっては軍拡を選択するのが合理的な行動になることになります（軍拡がアメリカにとっての支配戦略）。

ソ連もアメリカとまったく対称な状況にあるので、アメリカの行動で説明したのと同じ理由により、軍拡を選択するのが合理的であることがわかるはずです。結局、囚人のジレンマ的な状況に直面したアメリカとソ連は、合理的な行動の選択の結果、軍拡の行動をとることになり、両者の利得はそれぞれ0という、非常に低いものになってしまいます。仮に両者が協調して、軍縮を選択できれば10の利得を得られるにもかかわらず、それを失うことになります。

アメリカとソ連はなぜ軍縮を選択できないのでしょうか。ここが囚人のジレンマのポイントです。もしアメリカとソ連がお互いに十分話し合いをして、両方が軍縮を選択したほうが好ましいことを納得し、相互が信頼できるのであれば、あるいは軍縮を実現することができるかもしれません。両者で話し合い、協調的な関係を生み出すことが可能かどうかについては、後で詳しく議論したいと思います。

現実の世界においても、アメリカとソ連は何度も軍備縮小のための会合を、公式にも、あるいは非公式にも行い、過度な軍事拡大競争に陥ることを避けようとしてきました。それが成功したかどうかは国際政治の専門家の判断に委ねたいと思いますが、二つの国が協調行動をとるためには、相互に緊密な情報のやりとりを行うことが重要であることがおわかりいただけたと思います。

先に説明した囚人のジレンマのケースで、二人の囚人がお互いにコミュニケーションをとれない形で幽閉されていた状況を述べましたが、これは非常に重要な意味を持っています。お互いが相手のとる行動について確実な情報を持たないときには、相手がどのような行動をとるかを想定しながら、それに応じた合理的な行動をとろうとするはずです。囚人のジレンマの場合にも、相手が白状しようが否認を続けようが、それぞれの場合に自分にとってみると白状することが合理的な行動として選ばれたのです。ここで取り上げた軍縮、軍拡のケースについても、アメリカはソ連の行動を正確に判断することが難しいとしたときには、その置かれた状況は囚人のジレンマの状況とまったく同じことになるわけです。

(7)　ナッシュ均衡の考え方

最後に、ナッシュ均衡についてコメントしておきたいと思います。入門書であるこの本でナッシュ均衡について詳しく説明することはできませんが、ゲーム理論の発展にとって非常に重要な貢献をしたナッシュ均衡の考え方を、乱暴にまとめると次のようになります。各ゲームのプレーヤーは、それぞれが合理的な行動をとることを想定して相手の行動を知ろうとしたときに、自分にとって最も好ましい行動をとろうとします。それぞれがそれぞれにとって最も合理的な行動をとろうとした結果、実現した状態があれば、そこから誰も行動の変更をしようとはしないと考えられるからです。

COFFEE BREAK

ナッシュ均衡

本文中でも述べたように、ジョン・ナッシュがナッシュ均衡という概念を導入したことが、ゲーム理論を飛躍的に発展させ、経済学のさまざまな問題への応用可能性を広げたのです。ナッシュ均衡の考え方は、各自は他のプレーヤーの戦略を所与としたときに、自分にとって最も好ましい戦略を採用しているというものです。この均衡ではすべてのゲーム参加者がそれぞれの立場から上のような意味で最も好ましい戦略を採用しているので、どのプレーヤーもそこから戦略を変える誘因を持っていないのです。

つまり、いったんナッシュ均衡に到達すれば、そこから戦略を変えたとしてもその人の利益にはならず、そうしたことがすべての人に成立するので、誰もその状態から離れようとしないのです。少し難しい説明になってしまったかもしれませんが、こうしたナッシュ均衡の考え方を導入することで、すべてのゲームについて基本的に共通の均衡概念を導入できるようになったことが、学問的な観点では非常に大きな意味を持つようになったのです。

軍拡のゲームの例を見たときに、アメリカもソ連も軍拡に走るということは、実はナッシュ均衡としての性格も備えています。仮にアメリカとソ連がそれぞれ軍拡を行っているときに、どちらかの国にとって軍拡をやめる誘因が働くでしょうか。答えはノーです。アメリカを例に考えてみると、ソ連が軍拡の行動をとっているとき、アメリカが軍拡から軍縮に転換しても、アメリカにとって何のメリットもないからです。他方ソ連にとっても、アメリカが軍拡を行っているとき、軍拡から軍縮に変わっても、何も利得はありません。

このように、お互いが軍拡という状況に組み込まれたとき、両者はそこにとどまる強い傾向を持つことになります。これがナッシュ均衡の考え方の根底にあります。ナッシュ均衡の考え方を使うことにより、ゲームの理論はさまざまな興味深い現象を分析することができるのです。

4　協調の発生

以上で説明した囚人のジレンマは、単純な例として、ゲーム理論的な状況をあらわす上で有益であるとともに、実際の世界のさまざまな問題を囚人ジレンマの例として考えることができるという意味でも、大変意義深いものであります。しかし、さらに面白いのは、囚人のジレンマをもう少し拡張していくことにより、協調という、経済学にとって非常に重要な現象を分析できる点です。この協調について説明するために、先程取り上げた図5－2の企業Aと企業Bの二つの企業が競争する寡占市場の例をもう一度取り上げてみましょう。

ここで説明したように、通常、二つの企業の関係から考えると、結果的に二つの企業とも競争的な行動に走り、2という非常に少ない利得に甘んじる結果になってしまいます。しかし、現実的に考えてみれば、二つの企業がそのような好ましくない状況にいつまでもいるというのには無理があります。そこで、二つの企業が共同して、お互いに協調的な行動をとることにより、より高い20という利得に移行することが可能であるかどうかを考えてみたいと思います。現実の世界の寡占的な産業では、企業の間で話し合いや暗黙の了解が行われ、過度な価格引き下げ競争に走らないような協調的な行動がとられることは少なくありません。これを一般的にカルテルといいます。

カルテル的な行為として、企業Aと企業Bの二つの企業が協調的な行動をとることができるかどうかを考えるための非常に重要なカギとなるのが、繰り返しという考え方です。前述した囚人のジレンマ的な二つの企業間の状況では、ゲームは一回しか行われないことを想定して説明してきました。その場合には、それぞれの企業が一回きりの合理的な行動の判断を行い、結果としてどちらの企業も競争的な行動に走ってしまうという結果を得たわけです。

現実の企業間の競争を考えた場合には、二つの企業は何年にもわたって同じ産業の中で競争

用　語　解　説

カルテル

カルテルは、独占禁止法の観点からは違法な行為です。図５－２の例では､企業の間の関係しか考えていないので、２つの企業がカルテルをとることは、２つの企業にとって好ましいことであるという結果になっていますが、現実の世界においてはこの２つの企業以外に、２つの企業が供給する財やサービスを購入する消費者やユーザーの存在を考えなければなりません。カルテルは、企業が価格引き下げ競争を行わないために、協調して価格引き上げをする行為ですが、結果的に消費者の利益を著しく損なうことになります。そこで独占禁止法は、企業がカルテル行為を行うことを厳しく罰し、カルテル行為が行われないように、公正取引委員会という政府の組織が日々、監視活動を行っています。

ただ、現実には監視の目をくぐり、さまざまな形のカルテル的な行為が見られるといわれています。最も有名な事例としては、建設業者の間の談合と呼ばれる行為があります。この場合、政府が公共工事を発注し、複数の建設業者が入札して、競争が行われます。発注者である政府は、できるだけ安いコストで行ってもらうことを期待します。しかし現実には、入札に参加する建設業者の間で秘密裏に相談がなされ、過度に安い入札が行われないように、お互いに価格をつり上げます。場合によっては公共事業の入札が、それぞれの企業に交替に来るような調整が行われているという事例が、過去、何度も報告されています。企業間の協調を実現するため、建設業者はしばしば秘密裏に会合を持ち、お互いの行動を調整するようなことが行われているといわれています。

図5－4　繰り返しゲームの下での裏切りの損得

協調を続けた場合	10	10	10	10	……
裏切りが起きた場合	**20**	0	0	0	……

裏切ると一時的に利益が増える（↑20）

その後は報復によって利益が下がる（↑0 0 0 ……）

をすることになります。したがって、図5－2のようなゲーム論的な関係は、一度だけではなく、何度も続くと考えられます。その場合、お互いが協調的な行動をとり、もし相手が裏切った場合には報復に出るという形で、何とか協調的な行動を維持する努力がしばしば見受けられます。一般的に継続的な関係が見られるところでは、いろいろな意味で協調的な関係が出てくるといわれています。以下、図5－4を用いて説明します。

この場合、仮に二つの企業が協調的な関係を維持できていたと考えてみましょう。つまり、両方の企業とも過度な価格競争をしないで、協調という行動をとり続けるとします。その場合には、二つの企業とも10の利得を上げています。

協調的な関係がしばらく続いたところで、仮に一方の企業が出し抜き、一方的な価格引き下げをしたとしたら、どうなるでしょうか。その結果、この企業は一時的に20という高い利得を上げることができるでしょう。問題は、裏切り行為をしたとき、相手もそれに応じて報復行為に出ることが予想されるということです。いったん相手が裏切ったら、もう一方の企業は永遠に競争的な行動をとるという、極端な報復の状況を考えてみましょう。この場合、裏切りによって一時的に20という高い利得を得ることができますが、それ以降は協調が維持できなくなり、永遠に0という低い利得を続けることになります。

協調が続いていれば10という利得を確保できていたのにもかかわらず、裏切りをすると、一度だけは20の利得を得て、あとは0という非常に低い利得で終わってしまうことになります。自分がこの企業は裏切ることに本当にメリットがあるかどうかを考えることになるわけです。自分が裏切った場合、相手が報復行動に出てくることが想像できれば、一般的には裏切り行為をすることが合理的であるとは考えられません。

もう一方の企業についても状況は同じで、協調を続けている限りは10の利得を得ることができます。しかし、もし裏切ると、一時的には20という高い利得が得られても、それ以降は相手の報復の結果、0という利得が続くことになり、一般的には一時的な利得を求めて裏切ることはしにくいだろうと考えられます。

ここでカギとなるのは、相手が裏切ったときに報復をするという行為で、そうした行動原理がお互いに組み込まれていることです。あるいは相手がそうした行動に出ることを想定した場合には、報復の可能性が歯止めとなり、二つの企業の間で協調関係が維持されることになります。ゲーム理論ではもう少し精緻な形で、報復の可能性の下で、どのような条件で協調関係が維持されるかが詳しく分析されています。ただ、ここまでの議論からも、報復によって失われる利益が大きいとき、あるいは関係が長期間続くときには、一般的に協調は維持されやすいことが直感的にわかると思います。

カルテル的な行動が現実の世界で見られるのも、まさにこうしたことが背景にあります。寡占的な産業では、特定の企業が長期間にわたって同じ産業の中で共存を続けます。過度に競争的な行動をとり、相手に対して不利益をもたらす企業に対しては、必ず報復的な行為が予想されます。つまり、多くの企業は互いに協調的な関係を維持しようとする誘因が強いものと考えられます。

談合はカルテルの典型的な例です。同じ地域で共存している建設会社、土木事業者は、互いに顔見知りで、仲間を出し抜くような安い価格の入札をする企業に対しては、いろいろな形で報復行為が予想されます。それよりはお互いに協調して、高い入札価格を出しながら、交互に仕事が回ってくるような仕組みを維持するほうが、業者にとって合理的な行動になるわけです。

もっとも、公共工事の入札に海外の事業者や他の地域の事業者が参入することが可能になれば、新規参入者は地元業者との長期的な関係はなく、一時的な入札の利益を得るため、他の企業に比べて大胆に低い価格で入札してくる可能性もあります。その場合には、カルテルは崩れることになります。独占禁止法でも、新規業者の参入や国際的な競争の促進が重要視されています。これは、同じ業者だけが長期的に存続することによって起こり得るカルテルを排除し、競争を高めることが期待されるからです。

5　コミットメントとは何か

(1)　新規参入は成功するか

次に、ゲーム理論でよく使われるもう一つの表現方法である展開型のゲームを使いながら、重要な概念であるコミットメントについて説明してみたいと思います。ゲーム的な世界では、自分がとった行動が相手の行動にどのような影響を及ぼすか、それが結果的に自分にどのようにはね返ってくるかという相互依存関係が重要になり、これが戦略的な行動、あるいは戦略的な関係ということになります。

そこで、相手が行動をとるよりも前に、まず自らが先手をとって行動を起こし、相手の行動を自分にとって好ましい方向に変えさせてしまうことが効果的になります。これを一般的にコミットメントといい、以下で述べるように、経済内の企業活動や政策の運営などにおいても、これが非常に重要な意味を持ちます。

ここではイトーヨーカ堂とイオンという二つの大きな小売業者の間の例を考えてみます（具体的な企業の名前を挙げていますが、話をわかりやすくするだけのものであり、現実的な状況をあらわしたものではありません）。

ある町で、イトーヨーカ堂という店が営業していたとします。たまたまこの町にはイトーヨーカ堂だけしかなく、独占的な利益をこの町の店舗から上げています。

ここにイオンが新しい店舗をつくる計画が浮上しました。イオンが参入してくると、イトーヨーカ堂とイオンの間で競争が起きますから、イトーヨーカ堂にとってみればイオンが参入することは決して好ましいことでないことは明らかです。そこでイトーヨーカ堂は、もしイオンが参入してきたら、自分は厳しい価格競争をしかけるので、イオンにとってメリットはないだろうと発言するかもしれません。こうした脅しは効果があるのでしょうか。

図5－5は、ゲーム理論の世界で展開型表現と呼ばれるものです。この図には点が二つあり、それぞれにイトーヨーカ堂とイオンという名称が記してあります。その点において行動を起こすのがイトーヨーカ堂とイオンであることをあらわしています。一番左側のイオンという点を見てください。そこから二つの線が出ていて、右上に向かっては参入する、右下に向かっては参入しないという線が出ています。つまり、イオンはこの町に新しい店舗を建設する、あるいは建設しないという二つの選択肢を持っていることをあらわしています。

図５－５　展開型のゲーム
――空脅しでは参入は阻止できない

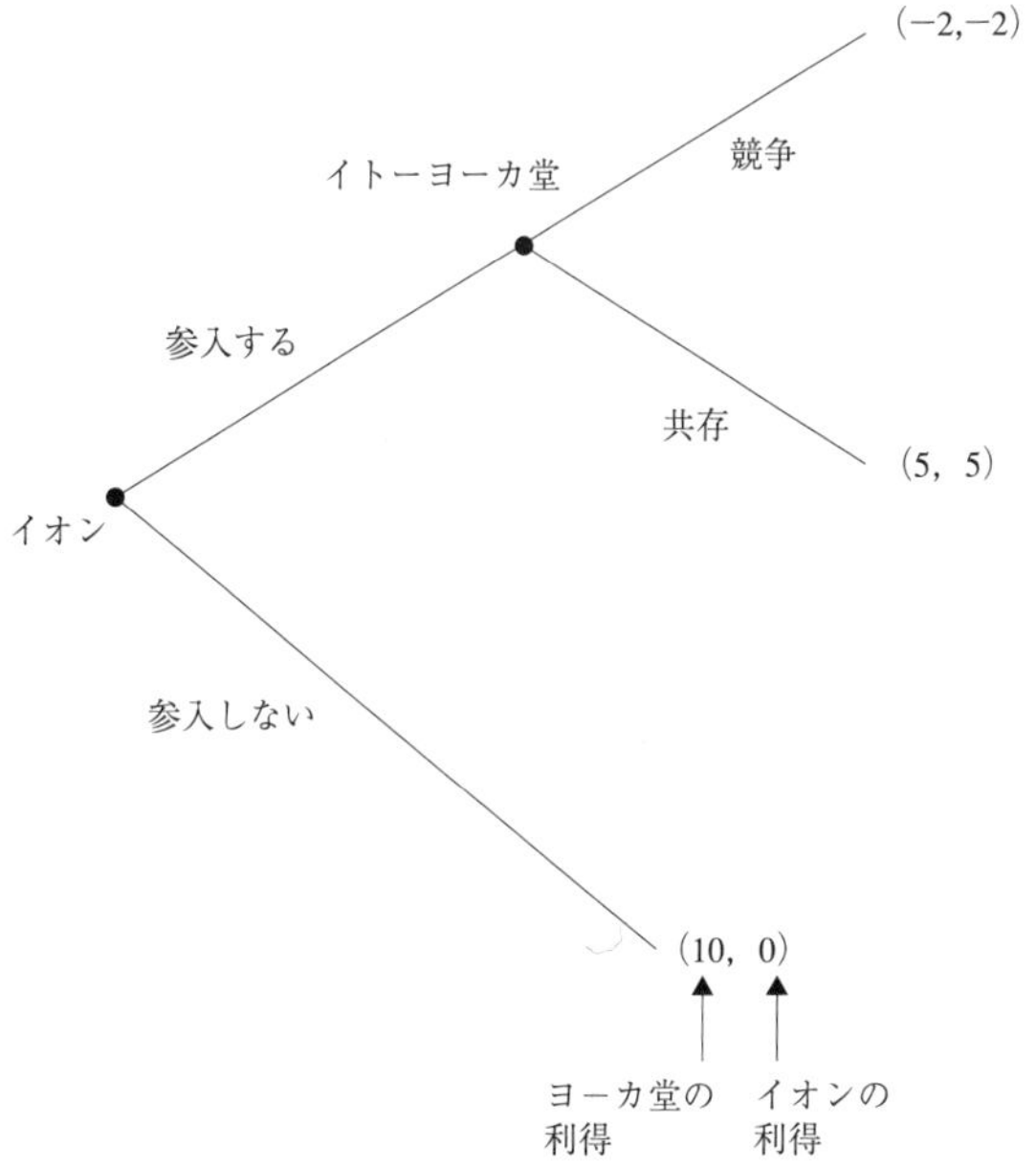

参入しないという線をたどっていくと、最後に「10、0」とあります。これは結果として実現するイトーヨーカ堂とイオンの利得をあらわしていると考えてください。左側の数字がイトーヨーカ堂の利得で、右側の数字がイオンの利得です。もしイオンが参入しなければ、イトーヨーカ堂はこれまでと同じようにこの町で独占的な利益を上げ続けることができるので、その場合のイトーヨーカ堂の利得は10とします。一方のイオンは、この町に出店しない、つ

まり参入しませんから、利得は0であると考えます。

次に、イオンという点から右上に出ている、参入するという線をたどってみます。これはイオンがこの町に新しい店をつくることを想定した状況です。この場合には、その先にイトーヨーカ堂という点がありますが、そこからさらに線が二つに分かれています。これはイトーヨーカ堂にとってイオンが参入した場合には二つの行動が選択肢として可能であることを示しています。

イトーヨーカ堂という点から右上に向けて「競争」、右下に向けて「共存」という線が出ています。これはイトーヨーカ堂がイオンの参入を受けたときに、競争という線では厳しい価格競争を仕掛けることをあらわし、共存という線では、共存を求めてあまり厳しくない価格設定をすることを想定しています。

イトーヨーカ堂から出ている競争と共存の線の先に、二つの企業の利得が示されていて、イトーヨーカ堂が競争した場合には、それぞれの企業の利得は「マイナス2」になっています。つまり、イトーヨーカ堂とイオンが厳しく競争した場合には、どちらもマイナス2の利得しか得られないと考えているのです。

一方、イトーヨーカ堂という点から右下に共存という線をたどっていくと、イトーヨーカ堂もイオンもそれぞれ「5」の利得を得られることが示されています。これはイオンが参入した後、イトーヨーカ堂がイオンと市場を分け合うような共存的な関係を目指した場合、このマーケットから得られるだろう10という利得が、イトーヨーカ堂とイオンの間で5ずつ分けられることになります。

(2)　相手の出方に悩む

この図の状況で、果たしてイオンはこの町に参入してくるでしょうか。イオンが悩むのは、この町に新しい店をつくったときに、もしイトーヨーカ堂が競争という選択肢をとると、マイナス2という利得になってしまうということです。そうなるよりは、参入しないで、利得を0に抑えておいたほうがイオンにとっては好ましいことになります。

しかし、ゲーム理論の重要なことは、イオンが自分の行動を考えるとき、イトーヨーカ堂も合理的に行動するであろうことを想定できることにあります。この場合、イオンが参入した後、イトーヨーカ堂は競争的な行動に走ることがあるでしょうか。答えはノーです。イオンが参入した後では、イトーヨーカ堂は競争をすればマイナス2の利得になってしまいますが、共存を図れば5の利得が得られます。競争よりも共存のほうが合理的な行動になります。

それを受けて、イオンは、参入すればイトーヨーカ堂は合理的な選択の結果として共存に出ることを読み切り、5の利得を得られることがわかりますが、もし参入しなければ0の利得しか得られないので、結局、参入のほうが好ましいということになります。

この場合、イオンが参入してきたら、イトーヨーカ堂は競争を激しくしてイオンに利益を渡さないと宣言することは、いわゆる空脅しにすぎず、イオンの参入をくじくことにはつながらないことがわかります。イオンはイトーヨーカ堂の合理的な反応を読みながら、これまた合理的な判断の結果として、この市場に参入するのです。

この図の状況には、ゲーム理論の最も本質的な特徴である「相手の靴をはく」、つまり相手の立場に立って考えるということがあらわれています。イオンは自らの行動を決めるにあたり、イトーヨーカ堂がどのような判断をするかを、イトーヨーカ堂の立場に立って合理的な行動を読もうとしているわけです。

ここで小売業の参入の例を取り上げたのは、この状況をさらに複雑にして、コミットメントについて説明したいからです。図5－6は、先程の図を少し複雑にしたもので、先程の図が一部に含まれるような形になっています。この図には、先程の図のさらに左側に、イトーヨーカ堂という点が描かれています。イトーヨーカ堂は、イオンが参入する前に何かできないかと考えます。イトーヨーカ堂の点からまた二つに分かれて、右上に向けては「店舗維持」、右下に向けては「店舗拡張」という線が描かれています。

もしイトーヨーカ堂が店舗を維持した状態、つまり右上に行けば、そこから先は先程と状況

図5－6　コミットメントが可能なゲームの展開
──参入阻止は可能か

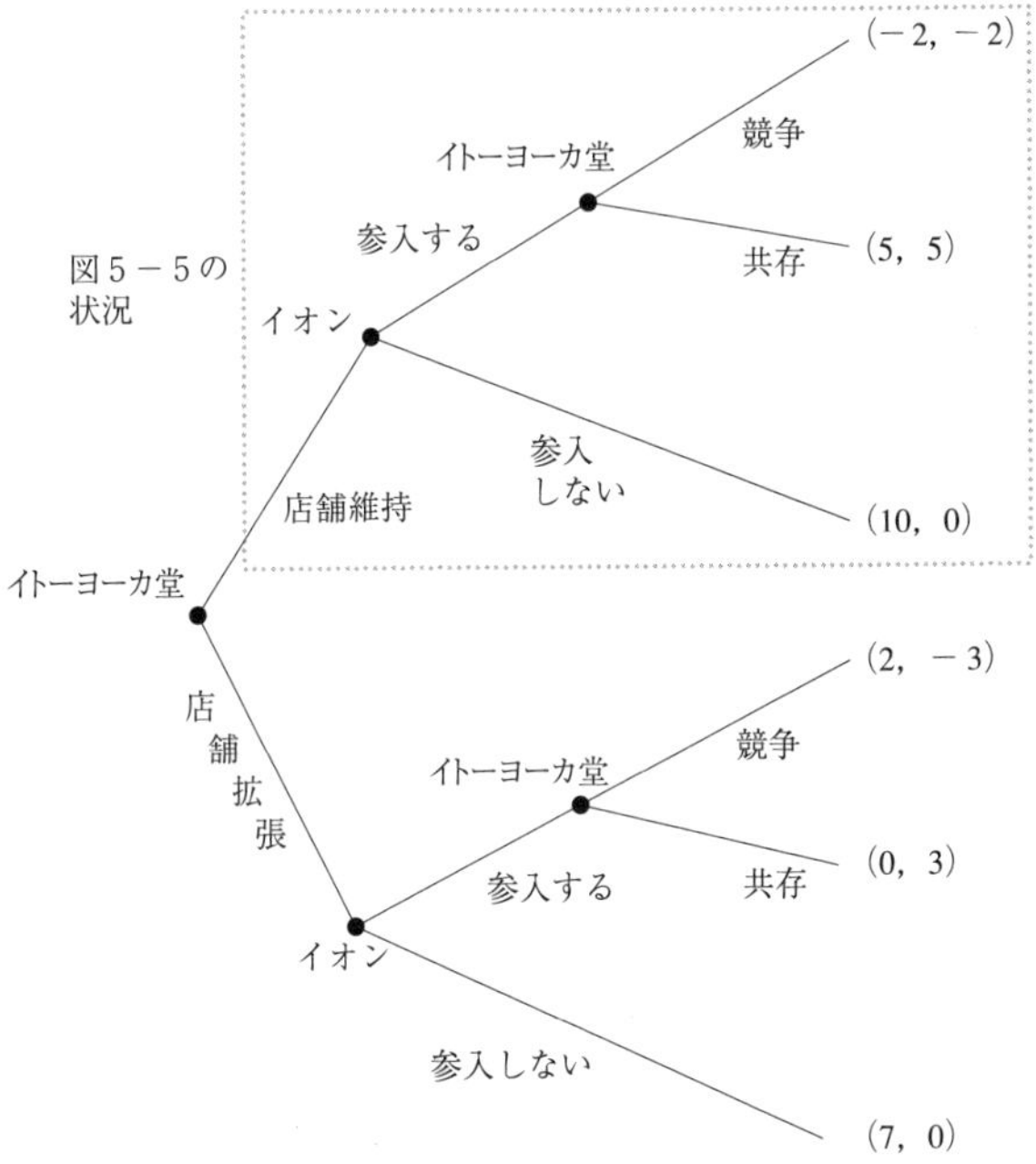

は同じですから、そこでイオンが参入するかどうかによって、先程述べたようなことが起こります。それに対して、興味深いのは、イトーヨーカ堂が店舗を拡張するという行動、一番左側のイトーヨーカ堂という点から右下に来た場合です。この場合、イトーヨーカ堂はコストをかけて店を拡張しますから、当然の結果として、イオンが参入してきたときのイトーヨーカ堂の行動や、イオンの利得にも大きな影響が出てきます。それがこの図の右下のあたりにま

とめて書いてあります。

イトーヨーカ堂が店舗拡張を選択したとき、つまりこの図で右下に行ったときに、イオンという点にたどり着きます。つまり、イトーヨーカ堂が店舗を拡張した場合でも、イオンにとってはこの町に参入して新しい店舗をつくるかどうかという選択が可能だからです。もしイオンが参入しなければ、イオンという点から右下に向かって「参入しない」という選択肢がとられることになります。ここでは、そのときのイトーヨーカ堂の利得は「7」、イオンの利得は「0」と書いてあります。イオンは参入しないのですから、利得は0になることはわかると思いますが、イトーヨーカ堂は、先程の状況に比べて店舗を拡張しているので、その分だけ店舗コストや投資コストがかさみ、利益は7にまで下がっていると想定しています。

問題は、イオンが参入した場合に何が起こるかです。この場合にも、イオンが参入した後、つまりイオンという点から右上に動いた後、イトーヨーカ堂にとっては二つの行動が可能であると考えられます。一方が競争で、もう一方が共存です。イトーヨーカ堂が共存という行動をとった場合、つまり右下に行った場合には、イトーヨーカ堂の利得は「0」、イオンの利得は「3」と書いてあります。イトーヨーカ堂は店を拡張したため、店舗コストがかさんで、仮にイオンが入ってくると0の利得しか得られないからです。

一方イオンは、参入したときに仮にイトーヨーカ堂が共存という立場をとれば、3の利得が得られると想定します。先程のケースより利得が多少少なくなっているのは、イトーヨーカ堂の店舗が大きいため、イオンに来る人の数が相対的に少ないと考えられるからです。

これに対してイトーヨーカ堂が競争的な行動をとった場合には、イトーヨーカ堂の利得は「2」、イオンの利得は「マイナス3」と書いてあります。この場合には先程と状況はかなり異なります。まず一方のイトーヨーカ堂は、イオンが参入する前に店舗拡張をしているので、イオンと競争したとしても、十分に勝つだけの魅力的な店舗を持っています。したがって、競争に勝った結果、2の利得が得られると想定しています。他方のイオンは、店舗拡張した後のイトーヨーカ堂と競争しなければならないので、競争した結果、マイナス3という非常に低い利得しか得られないと想定しています。

要するに、少し複雑化した図で描きたかったことは、イトーヨーカ堂が店舗を維持した場合と拡張した場合とでは、イオンとイトーヨーカ堂の競争の構造がかなり違ってくるということです。

この図を使って、この場合の均衡はどうなるかを少し詳しく見たいと思います。話が多少複雑になりますが、こうした図の上での議論に慣れることを通じて、ゲーム理論の考え方の本質的なところを理解してもらえるのではないかと思います。

ここで重要なことは、相手がどのような行動をとるかを想定しながら、自分の行動を決めて

図5－7　各状況での合理的な行動

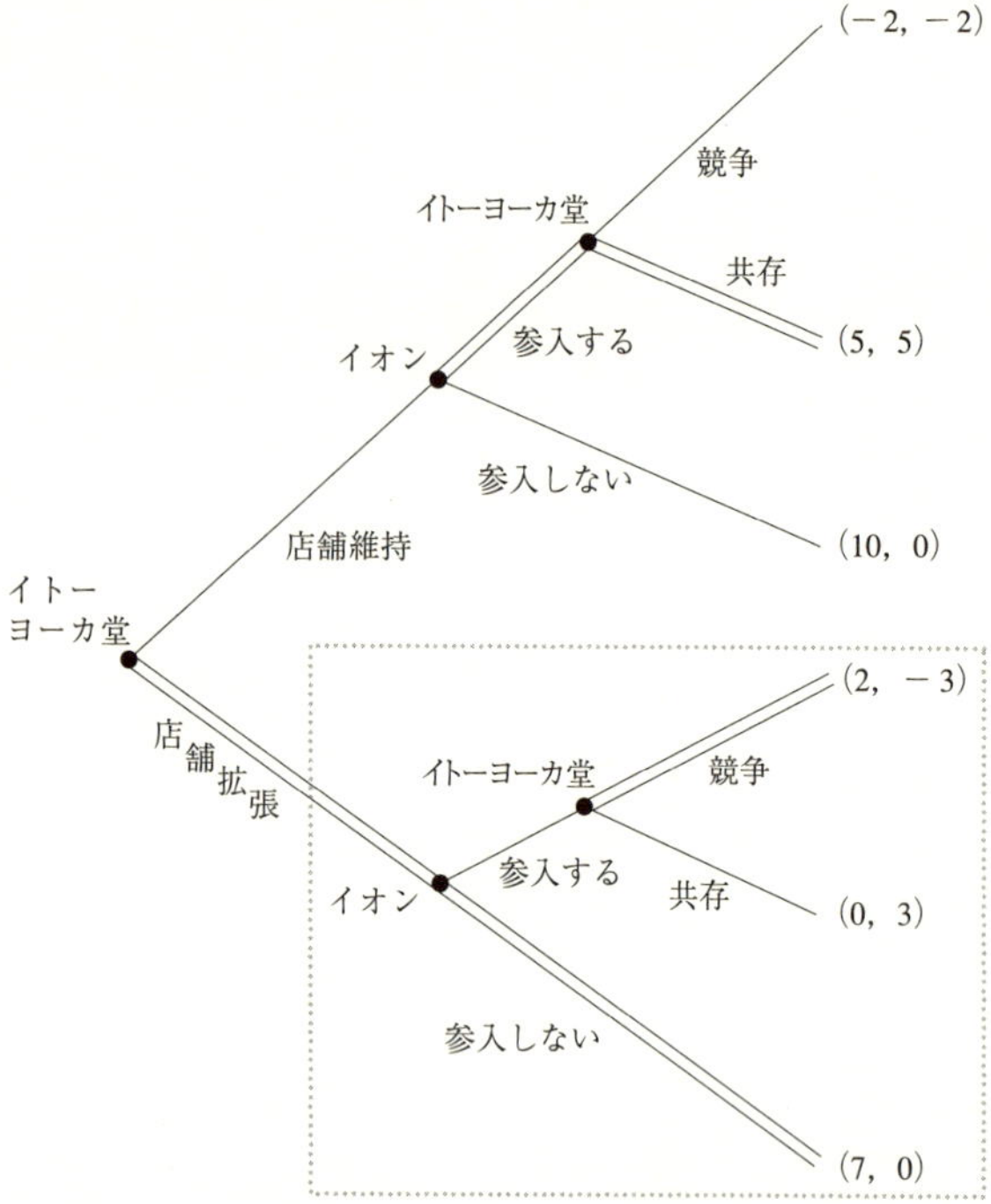

いくという、ゲーム理論独特の構造にあります。そのため、この図では後ろのほうから順番に考えていかなくてはいけません。話をわかりやすくするために、先程の図5－6をもう少しわかりやすくしたのが図5－7です。この図のいろいろなところに二重の線が描かれていることに注目してください。

まず右上を見てください。もしイトーヨーカ堂が店舗を維持したままでイオンが参入した場合には、イトーヨーカ堂にとっては共存することが合理的であるということは先程述べました。これは一番右上のイトーヨーカ堂という点から共存のほうに向かって二重線が描かれていることであらわされます。イオンが参入したときにイトーヨーカ堂が店舗を拡張していなければ、イトーヨーカ堂にとっては共存することが合理的だからです。

イトーヨーカ堂が共存することを想定すると、その左のイオンという点においては、参入しなければ0という利得しか得られませんが、参入すれば5の利得が得られます。参入するほうが合理的という意味で、参入のほうに二重線が描かれています。

つまり、この図からは、イトーヨーカ堂が店舗を維持した状態、一番左側のイトーヨーカ堂の点から右上に行ったときには、イオンは参入することを選び、イトーヨーカ堂はその下で共存を選ぶことが合理的な選択の結果として決まるということがわかります。

他方、下の大枠に描かれている状況、つまり、イトーヨーカ堂があらかじめ店舗拡張の投資をした場合にはどのようなことが起こるかを考えてみましょう。この場合にも、後ろのほうから順番に考えていく必要があります。まず、後ろにあるイトーヨーカ堂という点は、イトーヨーカ堂が店舗を拡張した後、イオンが参入した場合、イトーヨーカ堂はどういう行動をとるだろうかということをあらわしています。先程とは違い、既に店舗を拡張して競争力を強めているイトーヨーカ堂にとって、イオンが参入した後、共存した場合には0の利得しか得られないのに対し、競争すれば2の利得が得られることをあらわしています。したがって、イオンが参入してきたとき、イトーヨーカ堂は競争を選択するでしょう。この図では、イトーヨーカ堂から競争の方向に向かって二重線を引くことでこれをあらわしています。

その前に、イトーヨーカ堂が店舗拡張したとき、イオンが参入するかどうか、つまり下の大枠の中のイオンという点を見てください。仮にイオンが参入すれば、先程説明したようにイトーヨーカ堂は競争に走るので、結果としてイオンの利得はマイナス3ですが、イオンが参入しなければ、イオンの利得は0になります。この場合、イオンは参入して競争に陥り、マイナス3の利得を被るよりは、参入しないで0の利得をとろうとするでしょう。したがって、イオンという点からは参入しないという方向に二重線が引かれています。

最初の点（一番左のイトーヨーカ堂という点）に戻って、イトーヨーカ堂は店舗拡張をするか店舗維持をするかという選択を考えなければいけません。これまでの議論からもわかるように、右上の店舗維持の方向にイトーヨーカ堂が向かえば、イオンは参入し、イトーヨーカ堂は共存を余儀なくされ、結局、その場合のイトーヨーカ堂の利得は5になります。もしイトーヨーカ堂が店舗拡張という右下の方向を選択すれば、その結果、イオンは参入することができず、イトーヨーカ堂は7の利得を得られることがわかります。つまり、イトーヨーカ堂にとってどちらが好ましいかといえば、店舗を拡張することが好ましいということになります。

図の上では、一番左のイトーヨーカ堂という点から店舗拡張のほうに向かって二重線が引かれていくことをあらわしています。最終的な状況は、一番左から二重線に沿って動いていくことが均衡となり、イトーヨーカ堂は店舗を拡張し、イオンは参入しないことを選択することになります。

(3)　相手に先んじて変わる

長々とゲーム理論について述べてきましたが、ここでの本質は、コミットメントといわれていることと深いかかわりがあります。イトーヨーカ堂にとって想定されるイオンとの競争に、自分を一番有利に導くためにあらかじめできることは何だろうかと考えたとき、この図からも、イトーヨーカ堂は店舗を拡張することが好ましいということがわかると思います。店舗を拡張することにより、実はこの例では、当初得ていた10の利得よりは少ない利得になってしまいますが、しかし、競争相手のイオンの参入をくじくことができるという意味で、イトーヨーカ堂にとってはメリットがあるからです。

イトーヨーカ堂は一見無駄に見える大型店舗を持つという行動をとることにより、イオンが参入したときに競争することが合理的になるような体質に変わっていることを見せつけ、イオンの参入をくじき、自らの利得を上げるということが実現されるのです。このように、相手に先んじて自分の行動や自分の体質を変えることにより、相手の行動に影響を及ぼす行為をコミットメントといいます。

現実の世界でも、全国に大型のショッピングセンターが建設されていますが、もしその近くにさらに大きなショッピングセンターが建設されると、もとからあるショッピングセンターのお客は新しいショッピングセンターにとられてしまい、非常に厳しい状況になります。

したがって、最近の地方に出ていくショッピングセンターは、通常考えられるよりも大きな規模のものが少なくありません。これは経済合理的に考えてみれば不可思議な行動に映るかもしれませんが、実は必要以上に大きなショッピングセンターをつくることにより、近くにライバルのショッピングセンターが進出してくることをくじくという重要な意味を持っているわけです。

製造業でも同じような行為がしばしば見られます。ライバルが増産を始める前に、通常よりも多めの生産規模を持つ工場を設立することにより、ライバルが新たに参入することを防ぐ行為がしばしば見られます。こうした行為を参入阻止行動といいます。

ここでは、ごく単純な事例を用いてゲーム理論の考え方を説明してきましたが、ゲーム理論は多くの問題に利用できる優れた分析手法です。巻末のブックガイドにある文献でさらにゲーム理論への理解を深めてください。

ブックガイド

本書に続いてもう少し詳しく経済学を学んでみたい読者には、拙著『入門経済学』『ミクロ経済学』『マクロ経済学』（いずれも日本評論社）をお勧めします。これらの本はいずれも大学の経済学の基礎コースの内容を想定したものですので、難易度は本書とあまり変わりませんが、内容はより濃くなっています。また、本書に比べて経済学の理論的な内容の説明が中心になっています。

日本経済の現状についてさらに詳しく学んでみたい読者には、三橋・池田・内田著『ゼミナール日本経済入門』（日本経済新聞社）があります。また、政府の内閣府から毎年出されている『経済財政白書』は最新のデータが多く入っていて有益です。

海外でよく読まれている標準的な教科書としては、グレゴリー・マンキュー『マンキュー経済学（1）ミクロ編』『マンキュー経済学（2）マクロ編』（いずれも東洋経済新報社）をお勧めします。日本の教科書とは少しスタイルが違いますが、よく工夫されていて読みやすい本です。文庫本で気軽に読めるという意味で、クルーグマン『クルーグマン教授の経済入門』（日経ビジネス人文庫）もお勧めします。

ゲーム理論では、ディキシット＝ネイルバフ『戦略的思考とは何か』（ＴＢＳブリタニカ）をお勧めします。ビジネススクールで使われた素材をベースに書かれたゲーム理論の入門書ですが、一般読者にもわかりやすい内容となっています。日本人の書いたゲーム理論的な考え方の入門書としては、梶井厚志『戦略思考の技術―ゲーム理論を実践する』（中公新書）があります。

日経文庫案内 (2)

89	品質管理のためのカイゼン入門	山田 秀
91	職務・役割主義の人事	長谷川直紀
92	バランス・スコアカードの知識	吉川武男
93	経営用語辞典	武藤泰明
95	メンタルヘルス入門	島 悟
96	会社合併の進め方	玉井裕子
98	中小企業のための事業承継の進め方	松木謙一郎
99	提案営業の進め方	松丘啓司
100	EDIの知識	流通システム開発センター
102	公益法人の基礎知識	熊谷則一
103	環境経営入門	足達英一郎
104	職場のワーク・ライフ・バランス	佐藤・武石
105	企業審査入門	久保田政純
106	ブルー・オーシャン戦略を読む	安部義彦
107	パワーハラスメント	岡田・稲尾
108	スマートグリッドがわかる	本橋恵一
109	BCP〈事業継続計画〉入門	緒方・石丸
110	ビッグデータ・ビジネス	鈴木良介
111	企業戦略を考える	淺羽・須藤
112	職場のメンタルヘルス入門	難波克行
113	組織を強くする人材活用戦略	太田 肇
114	ざっくりわかる企業経営のしくみ	遠藤 功
115	マネジャーのための人材育成スキル	大久保幸夫
116	会社を強くする人材育成戦略	大久保幸夫
117	女性が活躍する会社	大久保・石原
118	新卒採用の実務	岡崎仁美
119	IRの成功戦略	佐藤淑子
120	これだけは知っておきたい マイナンバーの実務	梅屋真一郎
121	コーポレートガバナンス・コード	堀江貞之
122	IoTまるわかり	三菱総合研究所
123	成果を生む事業計画のつくり方	平井・淺羽
124	AI（人工知能）まるわかり	古明地・長谷
125	「働き方改革」まるわかり	北岡大介
126	LGBTを知る	森永貴彦
127	M&Aがわかる	知野・岡田
128	「同一労働同一賃金」はやわかり	北岡大介
129	営業デジタル改革	角川 淳
130	全社戦略がわかる	菅野 寛
131	5Gビジネス	亀井卓也
132	SDGs入門	村上・渡辺
133	いまさら聞けない ITの常識	岡嶋裕史

〈C〉 会計・税務

1	財務諸表の見方	日本経済新聞社
2	初級簿記の知識	山浦・大倉
4	会計学入門	桜井久勝
12	経営分析の知識	岩本 繁
13	Q&A経営分析の実際	川口 勉
23	原価計算の知識	加登・山本
41	管理会計入門	加登 豊
48	時価・減損会計の知識	中島康晴
49	Q&Aリースの会計・税務	井上雅彦
50	会社経理入門	佐藤裕一
51	企業結合会計の知識	関根愛子
52	退職給付会計の知識	泉本小夜子
53	会計用語辞典	片山・井上
54	内部統制の知識	町田祥弘
56	減価償却がわかる	都・手塚
57	クイズで身につく会社の数字	田中靖浩
58	これだけ財務諸表	小宮一慶
59	ビジネススクールで教える経営分析	太田康広
60	Q&A軽減税率はやわかり	日本経済新聞社

〈D〉 法律・法務

2	ビジネス常識としての法律	堀・淵邊
3	部下をもつ人のための人事・労務の法律	安西 愈
4	人事の法律常識	安西 愈

6	取締役の法律知識	中島　茂
11	不動産の法律知識	鎌野邦樹
14	独占禁止法入門	厚谷襄児
20	リスクマネジメントの法律知識	長谷川俊明
22	環境法入門	畠山・大塚・北村
24	株主総会の進め方	中島　茂
26	個人情報保護法の知識	岡村久道
27	倒産法入門	田頭章一
28	銀行の法律知識	階・渡邉
29	債権回収の進め方	池辺吉博
30	金融商品取引法入門	黒沼悦郎
31	会社法の仕組み	近藤光男
32	信託法入門	道垣内弘人
34	労働契約の実務	浅井　隆
35	不動産登記法入門	山野目章夫
36	保険法入門	竹濵　修
37	契約書の見方・つくり方	淵邊善彦
40	労働法の基本	山川隆一
41	ビジネス法律力トレーニング	淵邊善彦
42	ベーシック会社法入門	宍戸善一
43	Q&A部下をもつ人のための労働法改正	浅井　隆
44	フェア・ディスクロージャー・ルール	大崎貞和
45	はじめての著作権法	池村　聡

〈E〉流通・マーケティング

6	ロジスティクス入門	中田信哉
16	ブランド戦略の実際	小川孔輔
20	エリア・マーケティングの実際	米田清紀
23	マーチャンダイジングの知識	田島義博
28	広告入門	梶山　皓
30	広告用語辞典	日経広告研究所
34	セールス・プロモーションの実際	渡辺・守口
35	マーケティング活動の進め方	木村達也
36	売場づくりの知識	鈴木哲男
39	コンビニエンスストアの知識	木下安司
40	CRMの実際	古林　宏
41	マーケティング・リサーチの実際	近藤・小田
42	接客販売入門	北山節子
43	フランチャイズ・ビジネスの実際	内川昭比古
44	競合店対策の実際	鈴木哲男
46	マーケティング用語辞典	和田・日本マーケティング協会
48	小売店長の常識	木下・竹山
49	ロジスティクス用語辞典	日通総合研究所
50	サービス・マーケティング入門	山本昭二
51	顧客満足［CS］の知識	小野譲司
52	消費者行動の知識	青木幸弘
53	接客サービスのマネジメント	石原　直
54	物流がわかる	角井亮一
55	最強販売員トレーニング	北山節子
56	オムニチャネル戦略	角井亮一
57	ソーシャルメディア・マーケティング	水越康介
58	ロジスティクス4.0	小野塚征志

〈F〉経済学・経営学

3	ミクロ経済学入門	奥野正寛
4	マクロ経済学入門	中谷　巌
7	財政学入門	入谷　純
8	国際経済学入門	浦田秀次郎
15	経済思想	八木紀一郎
16	コーポレートファイナンス入門	砂川伸幸
22	経営管理	野中郁次郎
23	経営戦略	奥村昭博
28	労働経済学入門	大竹文雄
29	ベンチャー企業	松田修一
30	経営組織	金井壽宏
31	ゲーム理論入門	武藤滋夫
33	経営学入門（上）	榊原清則
34	経営学入門（下）	榊原清則
36	経営史	安部悦生
37	経済史入門	川勝平太
38	はじめての経済学（上）	伊藤元重
39	はじめての経済学（下）	伊藤元重
40	組織デザイン	沼上　幹
51	マーケティング	恩蔵直人
52	リーダーシップ入門	金井壽宏

54 経済学用語辞典 佐和隆光
55 ポーターを読む 西谷洋介
56 コトラーを読む 酒井光雄
57 人口経済学 加藤久和
58 企業の経済学 淺羽茂
59 日本の経営者 日本経済新聞社
60 日本の雇用と労働法 濱口桂一郎
61 行動経済学入門 多田洋介
62 仕事に役立つ経営学 日本経済新聞社
63 身近な疑問が解ける経済学 日本経済新聞社
64 競争戦略 加藤俊彦
65 マネジメントの名著を読む 日本経済新聞社
66 はじめての企業価値評価 砂川・笠原
67 リーダーシップの名著を読む 日本経済新聞社
68 戦略・マーケティングの名著を読む 日本経済新聞社
69 カリスマ経営者の名著を読む 高野研一
70 日本のマネジメントの名著を読む 日本経済新聞社
71 戦略的コーポレートファイナンス 中野誠
72 企業変革の名著を読む 日本経済新聞社
73 プロがすすめるベストセラー経営書 日本経済新聞社
74 ゼロからわかる日本経営史 橘川武郎
75 やさしいマクロ経済学 塩路悦朗
76 ゲーム理論とマッチング 栗野盛光

〈G〉 情報・コンピュータ

10 英文電子メールの書き方 ジェームス・ラロン

〈H〉 実用外国語

17 はじめてのビジネス英会話 セイン・森田
18 プレゼンテーションの英語表現 セイン／スプーン
19 ミーティングの英語表現 セイン／スプーン
20 英文契約書の書き方 山本孝夫
21 英文契約書の読み方 山本孝夫
22 ネゴシエーションの英語表現 セイン／スプーン
23 チームリーダーの英語表現 デイビッド・セイン
24 ビジネス英語ライティング・ルールズ 森田・ヘンドリックス

〈I〉 ビジネス・ノウハウ

2 会議の進め方 高橋誠
3 報告書の書き方 安田賀計
5 ビジネス文書の書き方 安田賀計
8 ビジネスマナー入門 梅島・土舘
10 交渉力入門 佐久間賢
14 意思決定入門 中島一
16 ビジネスパーソンのための書き方入門 野村正樹
18 ビジネスパーソンのための話し方入門 野村正樹
19 モチベーション入門 田尾雅夫
22 問題解決手法の知識 高橋誠
23 アンケート調査の進め方 酒井隆
24 ビジネス数学入門 芳沢光雄
26 調査・リサーチ活動の進め方 酒井隆
28 ロジカル・シンキング入門 茂木秀昭
29 ファシリテーション入門 堀公俊
31 メンタリング入門 渡辺・平田
32 コーチング入門 本間・松瀬
33 キャリアデザイン入門[I] 大久保幸夫
34 キャリアデザイン入門[II] 大久保幸夫
35 セルフ・コーチング入門 本間・松瀬
36 五感で磨くコミュニケーション 平本相武
37 EQ入門 高山直
38 時間管理術 佐藤知一
40 ファイリング&整理術 矢次信一郎
41 ストレスマネジメント入門 島・佐藤
41 グループ・コーチング入門 本間正人
43 プレゼンに勝つ図解の技術 飯田英明
45 考えをまとめる・伝える図解の技術 奥村隆一
46 買ってもらえる広告・販促物のつくり方 平城圭司

47 プレゼンテーションの技術　山本御稔
48 ビジネス・ディベート　茂木秀昭
49 戦略思考トレーニング　鈴木貴博
50 戦略思考トレーニング2　鈴木貴博
51 ロジカル・ライティング　清水久三子
52 クイズで学ぶコーチング　本間正人
53 戦略的交渉入門　田村・隅田
54 戦略思考トレーニング3　鈴木貴博
55 仕事で使える心理学　榎本博明
56 言いづらいことの伝え方　本間正人
57 ビジネスマンのための国語力トレーニング　出口汪
58 数学思考トレーニング　鍵本聡
59 発想法の使い方　加藤昌治
60 企画のつくり方　原尻淳一
61 仕事で恥をかかない日本語の常識　日本経済新聞出版社
62 戦略思考トレーニング　経済クイズ王　鈴木貴博
63 モチベーションの新法則　榎本博明
64 仕事で恥をかかないビジネスマナー　岩下宣子
65 コンセンサス・ビルディング　小倉広
66 キャリアアップのための戦略論　平井孝志
67 心を強くするストレスマネジメント　榎本博明
68 営業力　100本ノック　北澤孝太郎
69 ビジネス心理学　100本ノック　榎本博明
70 これからはじめるワークショップ　堀公俊

ベーシック版

マーケティング入門　相原修
不動産入門　日本不動産研究所
日本経済入門　岡部直明
貿易入門　久保広正
経営入門　高村寿一
環境問題入門　小林・青木
流通のしくみ　井本省吾

ビジュアル版

マーケティングの基本　野口智雄
経営の基本　武藤泰明
流通の基本　小林隆一
経理の基本　片平公男
貿易・為替の基本　山田晃久
日本経済の基本　小峰隆夫
金融の基本　高月昭年
品質管理の基本　内田治
IT活用の基本　内山力
マネジャーが知っておきたい経営の常識　内山力
キャッシュフロー経営の基本　前川・野寺
企業価値評価の基本　渡辺茂

IFRS［国際会計基準］の基本　飯塚・前川・有光
マーケティング戦略　野口智雄
経営分析の基本　佐藤裕一
仕事の常識&マナー　山崎紅
はじめてのコーチング　市瀬博基
ロジカル・シンキング　平井・渡部
仕事がうまくいく会話スキル　野口吉昭
使える！手帳術　舘神龍彦
ムダとり時間術　渥美由喜
ビジネスに活かす統計入門　内田・兼子・矢野
ビジネス・フレームワーク　堀公俊
アイデア発想フレームワーク　堀公俊
図でわかる会社法　柴田和史
資料作成ハンドブック　清水久三子
マーケティング・フレームワーク　原尻淳一
図でわかる経済学　川越敏司
7つの基本で身につくエクセル時短術　一木伸夫
AI（人工知能）　城塚音也
ゲーム理論　渡辺隆裕
働き方改革　岡崎淳一

伊藤　元重（いとう・もとしげ）
東京大学名誉教授。
1951年生まれ。東京大学経済学部卒業。東京大学大学院経済研究科教授、NIRA（総合研究開発機構）理事長、学習院大学国際教養学部教授などを歴任。ロチェスター大学Ph. D.。専門は国際経済学。ビジネスの現場を取材し、生きた経済を理論的な観点を踏まえて、鋭く解き明かすことで定評がある。テレビ東京「ワールド・ビジネスサテライト」のコメンテーターとしても活躍。
『ゼミナール国際経済入門』『デジタルな経済』『経済学的に考える。』『ビジネス・エコノミクス』（以上、日本経済新聞社）『吉野家の経済学』（安部修仁氏と共著、日経ビジネス人文庫）『入門経済学』（日本評論社）など、幅広いテーマを扱った多数の著書がある。

日経文庫1014

はじめての経済学（上）

2004年4月15日　1版1刷
2024年9月27日　　21刷

著　者　伊藤元重
発行者　中川ヒロミ
発　行　株式会社日経BP
　　　　日本経済新聞出版
発　売　株式会社日経BPマーケティング
　　　　〒105-8308　東京都港区虎ノ門4-3-12

印刷　広研印刷・製本　大進堂

ISBN978-4-532-11014-7 Printed in Japan